LES COMPLICES

Georges Simenon, écrivain belge de langue française, est né à Liège en 1903. Il décide très jeune d'écrire. Il a seize ans lorsqu'il devient journaliste à *La Gazette de Liège*, d'abord chargé des faits divers puis des billets d'humeur consacrés aux rumeurs de sa ville. Son premier roman, signé sous le pseudonyme de Georges Sim, paraît en 1921 : *Au pont des Arches, petite histoire liégeoise*. En 1922, il s'installe à Paris avec son épouse peintre Régine Renchon, et apprend alors son métier en écrivant des contes et des romans-feuilletons dans tous les genres : policier, érotique, mélo, etc. Près de deux cents romans parus entre 1923 et 1933, un bon millier de contes, et de très nombreux articles...

En 1929, Simenon rédige son premier Maigret qui a pour titre : *Pietr le Letton*. Lancé par les éditions Fayard en 1931, le commissaire Maigret devient vite un personnage très populaire. Simenon écrira en tout soixante-douze aventures de Maigret (ainsi que plusieurs recueils de nouvelles) jusqu'à *Maigret et Monsieur Charles*, en 1972.

Peu de temps après, Simenon commence à écrire ce qu'il appellera ses « romans-romans » ou ses « romans durs » : plus de cent dix titres, du *Relais d'Alsace* paru en 1931 aux *Innocents*, en 1972, en passant par ses ouvrages les plus connus : *La Maison du canal* (1933), *L'homme qui regardait passer les trains* (1938) , *Le Bourgmestre de Fumes* (1939), *Les Inconnus dans la maison* (1940) , *Trois Chambres à Manhattan* (1946), *Lettre à mon juge* (1947), *La neige était sale* (1948) , *Les Anneaux de Bicêtre* (1963), etc. Parallèlement à cette activité littéraire foisonnante, il voyage beaucoup, quitte Paris, s'installe dans les Charentes, puis en Vendée pendant la Seconde Guerre mondiale. En 1945, il quitte l'Europe et vivra aux Etats-Unis pendant dix ans ; il y épouse Denyse Ouimet. Il regagne ensuite la France et s'installe définitivement en Suisse. En 1972, il décide de cesser d'écrire. Muni d'un magnétophone, il se consacre alors à ses vingt-deux *Dictées*, puis, après le suicide de sa fille Marie-Jo, rédige ses gigantesques *Mémoires intimes* (1981).

Simenon s'est éteint à Lausanne en 1989. Beaucoup de ses romans ont été adaptés au cinéma et à la télévision.

GEORGES SIMENON

Les Complices

PRESSES DE LA CITÉ

1

Ce fut brutal, instantané. Et pourtant il resta sans étonnement et sans révolte comme s'il s'y attendait depuis toujours. D'une seconde à l'autre, dès le moment où le klaxon se mit à hurler derrière lui, il sut que la catastrophe était inéluctable et que c'était sa faute.

Ce n'était pas un klaxon ordinaire qui le poursuivait avec une sorte de colère et d'effroi mais un meuglement pareil à celui qu'on entend, lugubre et déchirant, dans les ports, les nuits de brouillard.

En même temps, il voyait, dans son rétroviseur, la masse rouge et blanche d'un énorme autocar qui fonçait, le visage crispé d'un homme aux cheveux grisonnants et il découvrait que lui-même roulait au milieu de la route.

Il ne pensa pas à dégager sa main qu'Edmonde continuait à serrer entre ses cuisses. Il n'en aurait pas eu le temps.

Il avait presque atteint le bas de la Grande Côte où la route tournait à gauche à angle droit, bouchée, semblait-il à distance, par le mur qui entourait les terres du Château-Roisin.

La pluie tombait depuis quelques minutes, juste assez pour recouvrir l'asphalte d'une pellicule gluante.

Curieusement, à cet instant-là, il accepta tout, la catastrophe et sa culpabilité, il sut que sa vie allait être coupée en deux, qu'elle allait peut-être s'achever et, sans y croire, il fit ce qui restait à faire, s'efforça, de sa seule main gauche, de redresser la traction-avant. Comme il s'y attendait, au lieu de revenir vers la droite, la voiture patina, accentua son mouvement en un tête-à-queue qui la plaça en travers du chemin.

L'autocar passa quand même, par miracle, et Lambert crut entendre l'injure que lui criait le conducteur au visage convulsé, il aperçut, derrière les vitres, des têtes d'enfants qui ne se rendaient compte de rien, un choc se produisait, de la tôle se déchirait et le mastodonte, qui avait accroché un arbre, continuait à dévaler, de travers, vers le bas de la pente.

Sa voiture à lui, qui s'était presque arrêtée, repartait comme si de rien n'était, à nouveau docile, tandis que le car heurtait de toute sa masse, en un formidable coup de bélier, le mur du Château-Roisin.

Lambert ne s'arrêta pas, ne pensa pas à s'arrêter mais à fuir, pour ne pas voir, et il eut la présence d'esprit de ne pas suivre la grand-route mais de se lancer, à droite, sur le chemin de la Galinière.

Edmonde n'avait pas crié, n'avait pas bougé. Il avait seulement senti que son corps se raidissait, se renversait en arrière et il lui semblait qu'elle avait fermé les yeux.

Il n'osait pas regarder dans son rétroviseur pour voir ce qui se passait derrière lui mais il ne put éviter, avant le premier tournant, d'y jeter un coup d'œil et d'apercevoir un énorme brasier.

Jamais il n'avait eu, dans tout son être, une sensation aussi atroce, même quand il avait été enterré par l'éclatement d'un obus. Cela paraissait impossible qu'il continuât de conduire, de regarder devant lui, de respirer. Quelque chose allait se briser dans sa tête, ou dans sa poitrine, et il était tellement couvert de sueur que ses mains glissaient sur le volant.

L'idée lui vint de s'arrêter, de faire demi-tour ; il n'en eut pas le courage. C'était au-dessus de ses forces. Il ne voulait pas voir. La panique le poussait en avant, une force incontrôlable contre laquelle il n'avait aucune prise.

Et pourtant il était capable de penser à des détails. A cent mètres à peu près du tournant, du mur sur lequel le car venait de percuter, il existait une pompe à essence, une épicerie-buvette tenue par les Despujols. Il les connaissait. Il connaissait tout le monde dans un rayon de dix kilomètres de la ville. La vieille Despujols était sourde, mais son mari qui, à cette heure-ci, devait travailler dans le jardin, avait sans doute entendu le vacarme. Est-ce qu'ils avaient le téléphone ? Il ne parvenait pas à s'en souvenir. Sinon, il faudrait que Despujols se rende, à près d'un kilomètre, au hameau de Saint-Marc, pour donner l'alarme. Il n'avait pas d'auto. Il irait à vélo.

Il n'osait toujours pas regarder Edmonde qui gardait la même immobilité. Elle avait dû rabaisser sa robe sans qu'il surprît son geste car il ne voyait plus la tache claire de ses genoux.

Il fallait faire quelque chose, aller quelque part, il ne savait pas encore où. A présent qu'il avait franchi le tournant et s'était engagé sur le chemin de la Galinière, il avait perdu le droit de retourner en arrière. Il ne devait pas non plus se montrer dans le village, distant de huit cents mètres, et il prit le premier chemin de terre, sur la gauche, effrayé à l'idée qu'un paysan pourrait le croiser.

Qu'il atteigne la grand-route du Coudray et il serait sauvé, pourrait prétendre venir de n'importe où, ne rien savoir, n'être pas passé ce jour-là par la Grande Côte.

Une ferme se dressait à droite mais il ne vit personne. Il pleuvait toujours, une pluie en longues hachures de fin d'été, presque, déjà, une pluie d'automne. Les battements de son cœur restaient rapides. Sa main droite continuait à trembler sur le volant.

Il avait honte et il était extrêmement malheureux. Cependant, déjà il se contraignait à penser à tout, à prévoir, et il s'entendit prononcer à voix haute :

— Nous arrêterons à Tréfoux.

C'était presque de l'autre côté de la ville. La route du Coudray contournait celle-ci. Toutes les routes lui étaient familières car il possédait des chantiers un peu partout, qu'il inspectait presque chaque jour. C'était justement d'un de ces chantiers qu'il revenait, à la ferme Renondeau, où ses hommes étaient occupés à monter une grange métallique.

Il était aussi le constructeur de la laiterie coopérative de Tréfoux, avec une fromagerie modèle, et maintenant on édifiait, à deux cents mètres des bâtiments, une vaste porcherie qui allait utiliser les sous-produits.

Il avait beaucoup travaillé, plus encore que son père, plus que n'importe qui en ville et c'était en somme l'effort de vingt-cinq ans qui était soudain menacé.

Combien de secondes avait-il fallu ? Si peu ! Pas même le temps de retirer sa main droite.

L'autocar avait dû corner une première fois vers le milieu de la côte. Il n'en était pas sûr. Il n'y avait pas pris garde. Cela lui revenait cependant comme parfois vous reviennent des bribes de rêve. Le car avait corné pour s'annoncer ; il roulait vite, reconduisait à Paris ou dans quelque ville du Nord les enfants d'une colonie de vacances.

Lambert déboucha sur la route du Coudray et, dès lors, c'était un peu comme s'il rentrait dans la vie. Sur la chaussée lisse, des voitures passaient, des camions, on voyait une pompe à essence rouge à trois cents mètres, une auberge avec une terrasse un peu plus loin. Il faillit s'y arrêter pour boire quelque chose, peut-être pour se créer un alibi en disant négligemment qu'il venait de la ferme Renondeau et se rendait à Tréfoux.

N'était-ce pas prendre trop de précautions ? Cela ne risquait-il pas de se retourner contre lui ? Il lui arrivait souvent de s'arrêter ainsi dans un bistrot de campagne pour vider une fillette de blanc, mais jamais lorsqu'il était accompagné de sa secrétaire.

Edmonde l'accompagnait rarement. Il n'aurait pas pu dire pourquoi, aujourd'hui, sur le point de partir pour chez Renondeau, il lui avait dit tout à coup :

— Prenez les bleus avec vous, mademoiselle Pampin, et attendez-moi dans la voiture.

Marcel, son frère, qui se trouvait dans le bureau, l'avait regardé de la façon calme, exaspérante, qui était la sienne. Qu'est-ce que Marcel pouvait y comprendre ? Chacun fait sa vie à sa guise. Marcel avait choisi celle qui lui plaisait et en paraissait satisfait. Ce n'était pas une raison pour imposer ses principes aux autres.

— Tu as besoin des plans ?

Joseph Lambert avait répondu en regardant son frère dans les yeux :

— Oui.

Ce n'était pas la première fois qu'ils s'affrontaient ainsi, pour autant qu'on puisse appeler ça s'affronter puisque Marcel battait invariablement en retraite. Façon de parler encore, d'ailleurs. Marcel se contentait de ne pas insister avec, aux lèvres, un sourire aussi léger que ses petites moustaches blondes et mousseuses.

A ce moment-là, il ne pleuvait pas encore, le soleil emplissait les bureaux qu'on avait refaits à neuf trois ans plus tôt et qui étaient séparés, comme dans les établissements modernes, par des cloisons de verre. Seul Joseph disposait d'un bureau où il pouvait s'isoler, où il lui était même loisible, sous prétexte de soleil, de baisser les stores vénitiens. Rien ne l'empêchait donc d'y appeler Mlle Pampin comme pour une dictée ou pour n'importe quel travail car personne, même Marcel, ne se serait permis d'entrer sans frapper.

Ce qui venait d'arriver devait sans doute arriver. Il avait prononcé, sans réfléchir, sans envie précise :

— *Prenez vos plans avec vous, mademoiselle Pampin, et attendez-moi dans la voiture.*

Elle n'ignorait pas ce que cela signifiait.

Ils n'étaient plus guère qu'à deux kilomètres au sud de la ville et ils entendaient soudain les sirènes d'incendie.

Lambert savait qu'il était trop tard. Il avait fait la guerre, vu brûler des tanks, des camions, des avions abattus.

Il fallait qu'il conserve son sang-froid, qu'il ne tende pas l'oreille au bruit des sirènes qui lui rappelait le hurlement désespéré de l'autocar.

La laiterie se dressait en aval, au bord du même canal que ses propres chantiers, mais ceux-ci se trouvaient en bordure de la ville, à deux pas d'un quartier populeux. Les ouvriers qui travaillaient à la nouvelle porcherie venaient de débaucher et seul le contremaître était encore là, s'apprêtant à monter sur son vélo avec, en bandoulière, la musette dans laquelle il avait apporté son casse-croûte. Il toucha sa casquette de la main.

— Bonsoir, monsieur Joseph.

Il avait travaillé pendant plus de trente ans pour le père Lambert et avait connu ses fils alors qu'ils n'étaient que des gamins. Il disait monsieur Marcel, monsieur Joseph. Il n'avait guère l'occasion de dire monsieur Fernand, puisque celui-ci vivait à Paris et ne revenait à peu près jamais au pays.

— Bonsoir, Nicolas. Tout va bien, par ici ?

Edmonde n'avait pas quitté la voiture et, pour la première fois depuis la Grande Côte, Lambert risqua un coup d'œil vers elle. Aurait-on pu soupçonner, à la voir, qu'elle venait de participer à une catastrophe ?

Elle était pâle, certes, mais à peine plus que d'habitude. Sa peau était naturellement incolore, ce qui surprenait d'autant plus qu'elle avait le visage presque rond, les joues pleines, un grand corps de fille bien portante.

— On a eu le temps de préparer les derniers caissons ?

— Quelques minutes avant l'averse. Vous avez entendu la sirène ? Il doit y avoir un incendie quelque part.

Lambert répéta :

— Il doit.

Cela le gênait de sentir le regard d'Edmonde fixé sur lui. Que pensait-elle ? Qu'est-ce qu'elle pensait de ce qui s'était passé ? De ce qu'il avait fait ? Qu'est-ce qu'à l'instant même elle pensait de lui ? C'était impossible à deviner. Jamais il n'avait vu un visage aussi indifférent que le sien et son corps avait la même immobilité que ses traits, on pouvait l'observer pendant de longues minutes sans percevoir un mouvement.

Quand il l'avait engagée, un an plus tôt, après la faillite du quincaillier Penjard, dont elle était la secrétaire, les employés s'étaient d'abord amusés de son nom, ne ratant pas une occasion de le répéter et d'en articuler drôlement les syllabes :

— *Bonjour, mademoiselle Pampin !*

— *Bonsoir, mademoiselle Pampin !*

Entre eux, ils l'appelaient la Pampine et un jour, Lambert, par sa fenêtre ouverte, avait entendu un jeune maçon déclarer :

— *Celle-là a tout du bestiau !*

Un homme aux jambières de cuir et aux culottes de velours à côtes s'en venait vers eux de la laiterie, dont il était le directeur. Lambert, debout près de la voiture, lui tendit la main tandis que le contremaître touchait à nouveau sa casquette.

— Salut, Bessières.

— Salut, monsieur Lambert.

Le vieux Nicolas questionnait :

— Vous avez entendu les sirènes ?

— Oui. J'ai tout de suite téléphoné en ville. Il paraît qu'un car plein d'enfants s'est écrasé sur le mur du Château-Roisin et a pris feu.

De son mouchoir, il essuyait son front où perlait de la sueur. Il avait six enfants. On en voyait jouer dans la cour de la laiterie et sa femme était à nouveau enceinte.

C'était la première épreuve sérieuse. Lambert, qui ne s'y attendait pas si vite, n'avait pas eu le temps de décider d'une contenance. La présence d'Edmonde le gênait. Il fut surpris de s'entendre prononcer d'une voix naturelle :

— Une colonie de vacances ?

— Probablement. On n'a pas de détails.

Lambert s'épongea, lui aussi, d'un geste qui lui parut calme, jeta un coup d'œil à sa main pour voir si elle tremblait.

Il valait mieux ne pas préciser qu'il venait de la ferme Renondeau en passant par la route du Coudray. On est toujours tenté de trop parler.

— Je suis venu jeter un coup d'œil, murmura-t-il. Nicolas me disait que, si nous avons quelques jours de soleil, tout sera fini pour la fin du mois.

— Vous entrez prendre un verre ?

— Merci. J'ai encore du travail au bureau.

Il s'était comporté normalement. Cela s'était passé comme d'habitude entre gens qui se connaissent de longue date et qui ont de nombreuses occasions de se rencontrer.

— Tout le monde va bien, chez vous ?

Au lieu de répondre, Bessières murmura :

— Je me demande si je ne vais pas sauter dans ma voiture pour aller jeter un coup d'œil là-bas.

Ce fut tout. Lambert remonta dans sa traction-avant et fit demi-tour. Dans les faubourgs, puis en ville, on sentait déjà une excitation anormale, on voyait des groupes sur les seuils, des hommes, des jeunes gens, qui, à vélo, s'élançaient tous dans la même direction.

Place de l'Hôtel-de-Ville où, dans une demi-heure, il était censé venir faire le bridge au *Café Riche*, une ambulance les croisa, qui remontait vers l'hôpital et qui lui parut vide. Ce fut le plus mauvais moment et il faillit s'arrêter, sans force, sans ressort, au bord du trottoir.

Dans le café, il apercevait Lescure, l'assureur, en compagnie de Nédelec, déjà installés à leur table.

— Vous ne passez pas au bureau ? questionna Edmonde, comme il paraissait flottant.

C'était la première fois qu'elle ouvrait la bouche depuis la Grande Côte. Sa voix était indifférente. Il se demanda pourtant si cette phrase-là ne constituait pas un discret rappel à l'ordre.

— Cela vaut peut-être mieux.

— Il est six heures et demie, dit-elle encore.

Il ne comprit pas ce que l'heure venait faire.

— Eh bien ?

— Je me demandais si vous désiriez que je vous accompagne quai Colbert ou s'il ne valait pas mieux que je descende ici.

Elle avait raison. Les bureaux fermaient à six heures et demie.

— Vous pouvez descendre.

— Je vous laisse le dossier Renondeau ?

— Oui.

— Bonsoir, monsieur Lambert.

— Bonsoir, mademoiselle Pampin.

Elle referma la portière et s'éloigna dans la direction du quartier Saint-Georges, assez proche, qu'elle habitait avec sa mère. De la voir disparaître, il se sentit à la fois soulagé et un peu perdu. Ils n'avaient convenu de rien, n'avaient fait aucune allusion à ce qui s'était passé. Il ne savait même pas si elle allait parler ou se taire. Est-ce que seulement il la connaissait ?

— Tu viens ? questionna Weisberg, le propriétaire de *Prisunic*, un autre des joueurs de bridge, au moment où Lambert remettait son moteur en marche.

— Pas tout de suite. Je dois passer au bureau.

— Tu arrives en ville ?

— A l'instant.

— Tu connais la nouvelle ?

— On me l'a apprise à la laiterie.

— Je suis allé pour jeter un coup d'œil mais je n'ai pas pu. C'est au point que j'ai ensuite couru à la maison afin de m'assurer que mes gosses étaient bien vivants.

Lambert parvint à articuler :

— Il y a des rescapés ?

— Personne. Plus exactement une des gamines, car il y avait des garçons et des filles, mais ce sera un miracle si on parvient à la sauver. Benezech est là-bas, la gendarmerie aussi. On attend le sous-préfet d'un instant à l'autre et le préfet a annoncé qu'il viendrait avant la nuit.

Benezech, le commissaire en chef de la police locale, était un autre des bridgeurs, un grand roux, avec des moustaches à la Vercingétorix et de longs poils clairs sur les mains.

— A tout de suite.

— Oui. A tout de suite.

Dans une heure, dans deux heures, il n'y aurait peut-être plus personne pour lui parler sur ce ton-là et pour lui serrer la main. Il avait remis sa voiture en route et, tout le long du chemin, les visages étaient plus graves, plus sombres qu'à l'ordinaire, des femmes pleuraient sur les trottoirs et dans les boutiques.

16

Autant qu'il s'en souvenait, la Grande Côte était déserte quand il l'avait descendue. Il était à peu près sûr de n'avoir pas croisé de voitures, de n'avoir aperçu aucun poids lourd arrêté au milieu de la montée comme cela arrivait souvent.

Mais n'y avait-il pas de vélos ? Les aurait-il remarqués ?

Et, quand il avait tourné à droite vers la Galinière, quelqu'un de chez Despujols ne se trouvait-il pas sur le seuil ? C'était peu probable, mais pas impossible. Sa traction-avant était noire et il en existait beaucoup d'autres en ville et dans la région. Les gens ont rarement la présence d'esprit de noter le numéro d'immatriculation.

Un paysan dans son champ, par exemple, aurait fort bien pu le reconnaître au passage. Son visage était caractéristique et il était un des hommes les plus connus du pays.

A partir du Château-Roisin, il était à peu près sûr de lui, car sa mémoire avait tout enregistré, automatiquement, y compris une vache rousse, échappée de son pâturage, qui errait au bord du chemin.

Mais plus haut ? L'homme aux chèvres, en particulier, dont il ne connaissait pas le nom, un original qui possédait une bicoque au bord de la nationale et qui, des heures durant, menait paître quatre ou cinq biques sur les bas-côtés ?

On était si habitué à apercevoir sa silhouette quand on montait ou qu'on descendait la Grande Côte qu'on n'y prêtait plus attention. A ce moment-là, Lambert n'avait encore aucune raison de se préoccuper des gens qu'il croisait. C'était devenu important. Il n'avait pas assez plu, entre l'instant de l'accident et l'arrivée des secours, pour effacer les traces des pneus sur la route. Les gendarmes avaient dû s'y intéresser. Benezech et ses hommes aussi.

Lambert avait lu dans les journaux des reconstitutions étonnantes d'accidents qui n'avaient pas eu de témoins. On saurait tout de suite que l'autocar, qui dévalait la pente, avait tenté une manœuvre désespérée pour éviter une autre voiture roulant au milieu de la route et qui, au lieu de se redresser, avait encore accentué son glissement vers la gauche.

C'était fatal qu'on recherche cette voiture-là.

Juste devant les chantiers surmontés de la raison sociale : « *Les Fils de J. Lambert* », une péniche était amarrée au quai de déchargement avec, tendu sur des cordes, du linge que la pluie détrempait. A une des vitres de la cabine, une petite fille pressait son visage, et ses cheveux décolorés, son nez écrasé sur le carreau, la buée qu'y mettait son haleine lui donnaient un aspect fantomatique.

On avait déjà allumé la lampe à l'intérieur, où il faisait sombre de bonne heure. L'homme devait être allé boire un verre à la buvette de l'écluse à trois cents mètres en aval, pendant que sa femme préparait la soupe.

Les bureaux étaient fermés, les employés partis ainsi que Marcel qui, peut-être, en entendant la sirène, s'était précipité sur les lieux de l'accident. Parce qu'il n'était pas de constitution robuste, on en avait fait un infirmier pendant la guerre et, depuis, il s'était inscrit à la Croix-Rouge. Il prenait son rôle au sérieux. Il prenait toute la vie au sérieux et il était fier, en particulier, que son aîné eût été admis à Polytechnique tandis que le second, Armand, était le plus brillant élève du lycée. Quant à sa fille Monique, où l'aurait-on mise à l'école, sinon au couvent Notre-Dame ?

Il faillit oublier le dossier Renondeau dans la voiture, vint le reprendre, ouvrit la porte des bureaux avec sa clef et posa le document sur la table de Mlle Pampin.

Jouvion, le gardien de chantier, était déjà dans sa cabane, derrière des piles de madriers, de briques et de parpaings, car la fumée montait du tuyau de poêle qu'il avait fait passer à travers le toit de tôle.

Quelqu'un marchait, au premier étage, sa femme ou la bonne, et, pour que tout se passât comme les autres jours, il s'engagea dans l'escalier conduisant à l'appartement.

Jadis, c'était celui de ses parents et il y était né, ainsi que ses deux frères, à une époque où les locaux étaient beaucoup plus exigus et moins modernes. Il avait au moins dix-sept ans quand on avait installé la première salle de bains.

Ni son père, ni sa mère, s'ils étaient revenus à la vie, n'auraient reconnu l'aspect des pièces et leur aménagement. Sa mère était partie la première, voici dix ans, et il n'y avait que trois ans que le vieux Lambert était mort à son tour, non de vieillesse ou de maladie, mais en tombant d'une poutrelle en équilibre instable à vingt mètres du sol. Jusqu'au bout, cela avait été son orgueil. Il écartait les jeunes, disait de sa voix graillonneuse :

— Laisse faire, fiston !

Lambert aperçut Angèle, la bonne, dans la cuisine éclairée, et elle devait être au courant car elle reniflait, les yeux rouges.

— Madame n'est pas à la maison ?

— Non, monsieur. Elle est partie dès qu'elle a appris la nouvelle.

— Seule ?

— Monsieur Marcel l'a emmenée dans sa voiture.

Il se sentit soudain accablé, comme si tout cela était dirigé contre lui, comme si déjà un clan ennemi était en train de se former.

— Monsieur n'est pas allé voir ?

— Non.

— Il paraît que c'est affreux, un des plus horribles accidents qui se soient jamais produits.

Tous ces pauvres chérubins qui allaient retrouver leurs parents et qui...

Il alluma une cigarette, fébrilement, la première depuis la Grande Côte.

— Je me demande combien on va pouvoir en sauver. Tout à l'heure, la radio a dit...

Il remarqua seulement que le petit poste de la cuisine fonctionnait mais qu'on l'avait mis en sourdine.

Il ne pouvait pas aller se coucher, déclarer qu'il était malade, fermer sa porte à tout le monde comme il en avait envie. Il fallait qu'il se comporte comme les autres soirs, qu'il parle, écoute, hoche la tête et pousse des soupirs, lui aussi.

— Je rentrerai à l'heure habituelle, Angèle.

Cela signifiait vers huit heures. Il pénétra dans la salle de bains, toujours pour ne rien changer à ses habitudes, se lava les mains et se donna un coup de peigne. Il lui sembla, en se savonnant, que ses mains avaient gardé l'odeur d'Edmonde.

Il fut tenté de boire un verre d'alcool, le plus sec possible, pour rétablir le calme dans sa poitrine, mais il eut le courage de n'en rien faire. Il buvait volontiers. Cela faisait presque partie de son métier. Après quelques verres, il lui arrivait de trop parler, avec une certaine emphase, qu'il prenait alors pour de la sincérité. Parfois au *Café Riche,* il se laissait aller à frapper du poing sur la table et à lancer à voix haute :

— Si seulement nous n'étions pas entourés de cette bande de c... !

Ou encore, indigné, il lançait à l'adresse de Dieu sait qui :

— Le jour où chacun décidera de ne plus se laisser faire par les salauds...

C'était angoissant, ce soir, d'évoluer, dans l'appartement vide, puis dans les bureaux non éclairés qu'il traversait avec l'air de fuir. Il envia les gens de la péniche qui allaient déjà se mettre à table, car ils se levaient à cinq heures du matin. Il envia même le vieux Jouvion qui devait faire cuire des pommes de terre sur le couvercle de fonte de son poêle.

Demain, après-demain, cela irait mieux, car il saurait. Si on devait l'arrêter, il aurait préféré que cela se passe tout de suite. Tant pis ! A la guerre, ne risquait-il pas d'être tué presque à chaque minute ? Ou d'avoir une jambe emportée ? Ou de devenir aveugle ?

Alors ?

Il ne se défendrait pas. Il avait tort. D'accord ! Pas besoin de le lui répéter, puisqu'il avait été le premier à le savoir. Quant au reste, cela ne regardait que lui. Chacun fait ce qu'il peut de sa vie et il se considérait comme aussi propre que n'importe qui de sa connaissance.

Sa voiture démarra et, sur une centaine de mètres, il oublia d'allumer les lanternes. Si la nuit n'était pas tout à fait tombée, il y avait un certain temps que le soleil était couché.

La ville était plus sinistre aux lumières, surtout depuis que les ateliers et les bureaux étaient fermés car tout le monde était dehors, sur les trottoirs, dans les cafés, à discuter, à gesticuler, à se lamenter, avec des femmes qui pleuraient et des enfants dont on ne savait que faire et devant qui on se taisait soudain.

Quatre hommes, pourtant, au *Café Riche*, faisaient leur belote comme les autres soirs, à la table que Lambert avait baptisée la « table du boucher », parce que le boucher Repellin en était le boute-en-train, celui qui prenait le plus de place et parlait le plus fort.

En face, Lescure et Nédelec prenaient leur apéritif en conversant à mi-voix, mais ils n'avaient pas fait mettre le tapis ni apporter les cartes.

— Weisberg n'est pas ici ? s'étonna Lambert. Je l'ai rencontré tout à l'heure et il m'a dit...

— Sa femme l'a appelé par téléphone.

— Quelque chose qui ne va pas chez lui ?

— Un de ses amis, qui a un magasin à Paris, a appris la nouvelle par la radio et, comme son fils...

— Dans le car ? questionna-t-il.

— Oui. C'est probable. On ne sait pas au juste. Deux autocars sont partis presque en même temps, emmenant chacun une moitié de la colonie. Le second continue sa route quelque part et on n'a pas encore pu le rejoindre de sorte qu'on ignore quels sont les enfants tués et quels sont ceux qui sont saufs. La mairie est assaillie de coups de téléphone. Comme ces gens-là connaissaient Weisberg...

— Qu'est-ce que je vous sers, monsieur Lambert ? Comme d'habitude ?

D'habitude, c'était un pernod et il fit oui de la tête.

— J'ai aperçu Benezech en compagnie du lieutenant de gendarmerie. Ils semblaient aussi malades l'un que l'autre. Les hôtels ne savent plus où donner de la tête. Tout le monde retient des chambres, les journaux pour leurs reporters et leurs photographes, les parents qui sont encore dans l'incertitude... Cette nuit, quand le train de Paris arrivera...

Nédelec, le marchand de grains, interrompit l'assureur.

— Deux journalistes, dont un de la radio, sont déjà arrivés par avion et ont failli se tuer en atterrissant dans les champs.

Lescure avait des enfants aussi, et même des petits-enfants, car ses deux filles étaient mariées. Nédelec, lui, qui était veuf, vivait avec sa fille unique qui n'était pas tout à fait normale.

On entendait, sur la place, un trafic plus intense que les autres soirs et quatre ou cinq policiers empêchaient les voitures de se diriger vers la Grande Côte.

Lambert fut surpris lui-même d'être capable de demander, alors qu'il venait de prendre une gorgée d'apéritif :

— On sait combien ils étaient ?

— Quarante-huit, plus le chauffeur, une femme d'un certain âge qu'on suppose être la monitrice et une jeune fille qui lui servait d'aide.

Il se voyait dans la glace, en face de lui, parmi d'autres visages, avec le reflet des lampes allumées et la fumée qui s'étirait un peu au-dessus des têtes. N'avaient-ils rien d'autre à lui apprendre ? Serait-il obligé de poser toutes les questions ?

Il vida son verre, fit signe au garçon de lui en servir un autre.

— On ignore comment cela s'est produit ?

— Des ingénieurs sont arrivés pour aider la police et la gendarmerie. Autant qu'on sache quant à présent, une voiture qui zigzaguait sur la route s'est portée soudain devant le car qui a tenté d'éviter la collision. Le car a heurté un arbre et a été littéralement projeté sur le mur du Château-Roisin. Voilà dix ans qu'on parle de démolir ce mur-là, qui ne sert plus à rien, et de refaire le virage. Combien, depuis dix ans, y a-t-il eu d'accidents à cet endroit-là ?

— Je ne sais pas.

— Benezech m'en parlait l'autre jour. C'est une question que j'ai étudiée, moi aussi, du point de vue des assurances. Soixante-huit accidents, dont douze mortels. Cette fois, évidemment, on va enfin se décider.

Les bureaux de la police étaient juste en face, dans la partie gauche des bâtiments de l'Hôtel de Ville dont toutes les fenêtres étaient éclairées comme le soir du grand bal annuel. Derrière l'une d'elles, on voyait, en ombre chinoise, la silhouette de Benezech, reconnaissable à ses moustaches, ainsi que celle d'un gendarme qui n'avait pas retiré son képi. Des autos, des motos s'arrêtaient sans cesse au pied de l'escalier de pierre où des agents s'efforçaient en vain d'écarter les curieux.

Une voiture noire, portant le nom d'un journal d'un département voisin, s'arrêta au bord du trottoir et un grand garçon en imperméable se précipita dans le café.

— On peut téléphoner ?

Souriac, le patron, debout près du comptoir, se contenta de lui désigner la cabine.

— Vous n'avez pas vu d'autres confrères ?

— Pas encore.

Les quatre, à la table du boucher, maniaient leurs cartes et leurs jetons, l'air quand même un peu gênés. Mais qu'auraient-ils pu faire d'autre ? Ils avaient seulement mis une sourdine à leurs voix.

— Je coupe ! Dix de cœur maître, pique maître, et, pour finir, ce joli petit sept de trèfle qui est bon comme la romaine.

Le boucher était fier d'avoir fait ça et regardait les autres avec défi.

Capel, le professeur d'histoire au lycée, qui, presque chaque soir, faisait la partie de bridge, pénétrait dans le café de son pas mesuré, retirait lentement son chapeau, son imperméable, les suspendait à leur crochet habituel et, se tournant vers la table, questionnait avec surprise :

— On ne joue pas ?

2

Il était huit heures dix quand il rangea sa voiture le long du trottoir et, en levant la tête, il vit de la lumière dans la salle à manger. Sans passer par le bureau, il gravit le grand escalier, entendit la radio dans la cuisine, trouva la salle à manger vide, avec un seul couvert mis. Machinalement, parce que, ce soir, le moindre détail inhabituel lui paraissait dangereux, il poussa la porte de la chambre, questionna, tourné vers l'obscurité :

— Tu es là ?

C'était saugrenu. La chambre était vide aussi. Dans le couloir, alors qu'il se dirigeait vers la cuisine, il faillit se heurter à Angèle.

— Madame n'est pas rentrée ?

— Elle a téléphoné en demandant que vous l'appeliez chez madame Jeanne.

— Il y a longtemps ?

— Vers sept heures et demie. Je vous sers ?

Il fut sur le point de répondre que non, qu'il n'avait pas faim, ou qu'il irait dîner dehors, mais désormais il devait se méfier même de gens aussi insignifiants que la bonne.

— Je téléphone d'abord à Madame.

On pouvait toujours être sûr, quand Nicole n'était pas à la maison, qu'elle s'était rendue chez une de ses trois sœurs, le plus souvent chez Jeanne. Du vivant de leur mère, c'était chez celle-ci que les quatre filles Fabre se réunissaient presque quotidiennement, encore qu'elles fussent toutes mariées, comme si c'était resté leur véritable foyer.

— Allô !... Qui est à l'appareil ?... C'est vous, Jeanne ?... Raymonde ?

La présence de Raymonde au bout du fil signifiait que l'aînée, dont le mari, Barlet, était dans les assurances, comme Lescure, dînait chez sa sœur aussi.

— J'appelle Nicole, Joseph... C'est affreux, n'est-ce pas ?... Nous en sommes toutes malades... La pauvre Jeanne...

On dut lui prendre l'appareil des mains et ce fut la voix de Nicole qui se substitua à celle de sa sœur.

— Joseph ? J'ai téléphoné à Angèle pour lui dire de te servir à dîner. Je reste chez Jeanne, qui a subi tout à l'heure un choc pénible et qui n'en est pas encore remise. Elle revenait de Bonnières avec les enfants...

Bonnières était à quelques kilomètres de la ferme Renondeau et Lambert se souvenait soudain que sa belle-sœur, qui possédait une petite auto, allait souvent y passer l'après-midi chez une amie.

— Elle est revenue par la Grande Côte ?

— Oui. Figure-toi qu'elle est arrivée au Château-Roisin quelques instants seulement après l'accident. En fait, elle a été une des premières sur les lieux, alors que le car flambait et qu'il était impossible d'en approcher. Tu peux imaginer ce que cela a été pour elle, avec ses deux enfants dans la voiture. Elle est rentrée dans un tel état qu'on a dû la mettre au lit...

Il ne trouvait rien à dire. Cela l'effrayait d'apprendre que sa belle-sœur le suivait à deux ou trois kilomètres à peine et que, du haut de la côte, elle aurait pu reconnaître sa traction-avant.

— Je ne rentrerai pas tard, mais tu n'as pas besoin de m'attendre. Tu comptes sortir ?

— Je ne crois pas.

— A tout à l'heure. Victor me ramènera.

Jeanne et son mari, celui qui travaillait comme employé à la mairie, étaient les moins aisés de la famille, les derniers à s'être acheté une 4 CV d'occasion, et cela les excitait encore de s'en servir.

Lambert s'assit, seul, dans la salle à manger, et Angèle parut tout de suite avec la soupière. Il emplit son assiette, distrait, sans regarder la bonne.

— Monsieur a entendu les dernières nouvelles ? Toute les demi-heures, la radio donne un bulletin spécial.

Il ne se rendait pas compte qu'il mangeait et que la chaleur de la soupe lui faisait du bien.

— La catastrophe a eu lieu par la faute d'une auto de tourisme qui, d'après la police, était conduite par quelqu'un en état d'ivresse. L'auto zigzaguait sur la route et le conducteur du car, en essayant de l'éviter...

Il leva les yeux vers elle, se demanda quelle serait la réaction d'Angèle s'il lui déclarait :

— L'auto de tourisme, c'était la mienne, et je n'étais pas ivre.

Sans doute hésiterait-elle d'autant moins à le condamner qu'elle n'avait jamais nourri à son égard qu'une sorte de mépris apitoyé. Elle méprisait les hommes en général, qu'elle considérait comme des monstres, lui en particulier, mais un monstre à peine responsable de ses actes.

A quarante ans, elle était sans grâce, sans féminité. Avait-elle jamais attiré les regards des mâles ? Il fallait le croire, puisqu'elle avait eu un enfant, un gamin, aujourd'hui âgé d'une douzaine d'années, qu'elle faisait élever dans une ferme le plus loin possible de la ville, à plus de quarante kilomètres.

Elle n'en avait jamais parlé, même à Nicole. Il avait fallu un hasard pour que celle-ci l'apprît et elle ne lui en avait pas soufflé mot non plus.

Depuis, tous les hommes, surtout les hommes dans le genre de son patron, constituaient une espèce méprisable, et peut-être ne nourrissait-elle guère plus de tendresse à l'égard de Nicole car elle n'aimait pas non plus ceux qu'elle appelait les riches.

Le monde, à ses yeux, était peuplé de millions de pécheurs, avec seulement quelques justes, comme elle, qui jouaient fatalement le rôle de victimes et qui auraient leur revanche dans une autre vie.

— Il ne s'est pas arrêté pour porter secours à ces chérubins innocents et il n'a même pas eu la décence de donner l'alarme. C'est le vieux M. Despujols qui a dû aller, à pied, jusqu'à Saint-Marc, d'où on a pu enfin téléphoner en ville. Des êtres comme ça, je me demande ce qu'on devrait leur faire.

Elle y mettait tant de passion qu'il craignit un instant qu'elle eût une arrière-pensée. La radio avait-elle parlé d'une traction-avant ?

— Je vous apporte votre côtelette.

Il la mangea comme il avait mangé sa soupe, en observant la bonne qui, quand elle ne lui adressait pas la parole, remuait les lèvres à vide à la façon des dévotes. N'était-ce pas, pour des filles comme elle, une occasion inespérée de s'épancher ? N'y en avait-il pas des centaines, dans la ville et ailleurs, pour qui la catastrophe du Château-Roisin devenait une sorte d'exutoire ?

Il avait l'intention de ne pas sortir, comme il l'avait annoncé à Nicole, et, son dîner terminé, il passa dans le salon où il fut sur le point de faire marcher la radio. Il tourna même le bouton. Le disque s'éclaira, mais il l'éteignit aussitôt, faute de courage, et alla se jeter dans son fauteuil habituel.

Ils sortaient peu, sa femme et lui. A part deux soirs par semaine, où ils allaient faire un bridge chez des amis — Nicole, qui ne jouait pas, emportait un ouvrage —, ils restaient en tête à tête sans échanger dix phrases. Elle tricotait presque toujours, pour les pauvres, car elle participait à toutes les œuvres de la ville. Il lisait les journaux, les magazines, parfois un livre. Certains soirs, n'y tenant plus, il se levait brusquement et allait prendre l'air un quart d'heure sur le quai.

Il n'y avait jamais eu de drame entre eux, ni de disputes graves. Le vide s'était créé insensiblement.

Quand il l'avait épousée, elle était, comme ses trois sœurs, une jolie fille plutôt rieuse et il avait pensé qu'il serait agréable de passer sa vie avec elle.

Son père, le docteur Fabre, était un bon vivant et leur maison était gaie, toujours pleine de chuchotements et de rires.

Il aurait été incapable de dire comment cela s'était produit. Il ne s'était rien produit, en somme, sinon qu'aucune étincelle n'avait jailli. Nicole n'était pas devenue une épouse Lambert. Elle était restée une fille Fabre.

Il n'osait pas demander aux autres gendres comment ils s'en accommodaient. Barlet, l'assureur, ne paraissait pas malheureux, mais il passait trois semaines par mois en tournée. Soubise, qui vendait des engrais, ne songeait qu'à gagner de l'argent et Nazereau, le mari de Jeanne, la cadette, qui était employé à la mairie, paraissait enchanté, quand il rentrait chez lui, d'y trouver une ou deux belles-sœurs.

Nicole, lorsque son mari sortait seul et rentrait tard dans la nuit, ne lui adressait aucun reproche. Il était probable qu'elle était tenue au courant, ne fût-ce que par ses sœurs, de la plupart de ses frasques ; mais elle n'y faisait aucune allusion.

Un soir, seulement, quatre ans plus tôt, à la suite d'une histoire assez scandaleuse avec une fille, elle lui avait simplement dit, alors qu'il se glissait dans le lit de sa femme :

— Non, Joseph. Pas ça. Plus maintenant.

Elle n'avait pas pleuré. Il était persuadé qu'elle n'en avait pas souffert, que peut-être cela avait été pour elle un soulagement. Ils ne faisaient pas chambre à part, parce que l'appartement ne s'y prêtait pas. Chacun avait son lit et, le soir, ils se déshabillaient l'un devant l'autre en toute simplicité. S'il lui arrivait d'être malade, Nicole le soignait.

Aurait-elle dû épouser son frère Marcel ? De son côté, la femme de Marcel aurait-elle été plus heureuse avec lui ?

A quoi bon ? Malgré tout, le fait qu'elle ne soit pas là ce soir lui rendait la maison insupportable et il se leva, prit son chapeau, se dirigea vers la cuisine où Angèle finissait la vaisselle.

— Si Madame rentre avant moi, dites-lui que je prends l'air.

— Vous allez là-bas ? Vous n'y parviendrez pas, car des centaines de voitures arrivent de partout et on a dû établir un barrage.

Il ne prit pas l'auto. Il n'avait réellement envie que de respirer l'air de la nuit et de se calmer les nerfs. Il pensait à trop de choses à la fois. Son cerveau fonctionnait trop vite, comme une mécanique qui s'emballe, et c'était physiquement angoissant.

Il resta un long moment debout à regarder le canal, remarquant qu'une seconde péniche, sans bruit, était venue s'amarrer à la première. Ainsi allongées côte à côte sur l'eau immobile, sans autre lumière qu'un fanal sur le pont, elles donnaient une étrange impression de paix et de confiance.

Les femmes et les enfants étaient couchés. Dans

le silence de la nuit, Lambert perçut pourtant un murmure de voix et, ses yeux s'habituant à l'obscurité, il finit par distinguer deux hommes assis près du gouvernail, des manches de chemise très blanches, le point rougeoyant d'une cigarette.

D'un pas indécis, il se dirigea vers la rue de la Ferme où, dans presque toutes les maisons, on entendait les bruits de la radio. Il y avait un petit bar, au coin d'une impasse, à peine éclairé, avec seulement deux clients, au comptoir, qui devisaient avec le patron.

Il aurait aimé entrer, commander n'importe quoi, participer à leur conversation ou seulement les écouter, car soudain il lui venait l'envie d'un contact humain, n'importe lequel. Il savait ce qui arriverait s'il se laissait aller. Il ne se contenterait pas d'un verre. Il en boirait d'autres, pour se casser les nerfs, et, au lieu de cela, il deviendrait bavard et passionné, un besoin irrésistible le prendrait peut-être de se confesser.

C'était arrivé, pour des peccadilles, pour des choses que la plupart des hommes ne se reprochent pas.

Au bout de la rue presque déserte, c'était, après un coude, la rue du Vieux-Marché qui s'amorçait, étroite, une des plus anciennes de la ville, aux boutiques serrées les unes contre les autres, grouillante dans la journée et, maintenant même, assez passante. Une petite épicerie, plus loin une herboristerie mal éclairée n'avaient pas encore fermé leur porte et on devinait de la vie dans l'obscurité des allées, des hommes et des femmes, accoudés, se parlaient d'une fenêtre à l'autre.

Il entendit au passage, sur le ton caractéristique des speakers de la radio :

— ... *La police a de bonnes raisons de croire qu'elle ne tardera pas à identifier*...

Il ne s'arrêta pas pour connaître la suite. Sa première réaction fut :

— Tant mieux !

Ainsi, on en finirait immédiatement. Il ne se défendrait pas. Il était décidé à ne leur fournir aucune explication.

Que risquait-il ? La prison ? Est-ce que ses soirées en tête à tête avec Nicole lui manqueraient tellement ? Les bridges de fin d'après-midi au *Café Riche* n'étaient pas non plus sans l'écœurer et, la preuve, c'est que de temps en temps il éprouvait le besoin de faire un éclat.

Il se demandait pourquoi il avait fui. La panique s'était emparée de lui, de sa chair surtout. Sa première idée, la plus forte, celle qui avait commandé tout le reste, avait été *de ne pas voir*. Il en aurait été incapable. Justement à cause de ce sentiment qu'il avait de sa culpabilité.

A présent, s'il voulait être tout à fait sincère avec lui-même, n'était-ce pas la peur qui le rendait quasi malade ? Il sentait naître dans la ville et sans doute par toute la France une vague de haine à l'égard de l'homme sur qui on n'avait pas encore pu mettre un nom et, s'il se dénonçait, serait-il possible d'endiguer la colère de la foule ?

Personne, il en était sûr, pas même ses amis du *Café Riche*, n'aurait le sang-froid d'examiner son cas avec équité. Dans quelques jours, peut-être, quand l'émotion serait un peu calmée ?

Il n'osait pas regarder en face les passants qu'il croisait, à l'affût de bribes de phrases qu'il attrapait au vol et qui n'étaient pas pour le rassurer.

L'émotion était intense ; les messages de la radio, de demi-heure en demi-heure, l'attisaient au lieu de la dissiper.

La tentation lui vint, parce qu'il passait près de la tranquille rue Drouet, d'aller frapper à la porte de Louise et, peut-être, de tout lui raconter. Est-ce que Louise, elle, n'était pas capable de comprendre ?

Pendant vingt ans, elle avait été l'amie de son

père, en fait, sa maîtresse, personne en ville ne l'ignorait.

Son père avait-il eu plus de chance que lui ? Lambert ne jugeait pas sa mère. Il ne l'avait jamais regardée autrement que comme une mère et n'avait rien à lui reprocher. Elle avait travaillé toute sa vie sans se plaindre, tenant son ménage, élevant ses enfants, veillant à tout, dernière couchée, première levée, soignant les autres sans, pour elle-même, accepter la maladie.

Lorsqu'elle s'était mariée, elle était ouvrière à la filature et Joseph Lambert ouvrier maçon. Plus tard, la maison, à présent transformée, était née, en même temps que les chantiers du quai Colbert qui n'avaient cessé de s'agrandir et qui portaient aujourd'hui, comme un hommage au fondateur, la raison sociale : « *Les Fils de J. Lambert.* »

Pourquoi, vers la cinquantaine, bien que sa femme fût encore alerte, Lambert-le-Vieux avait-il pris une maîtresse ? Son aîné était le seul de la famille à en parler sans honte ni rancune. Marcel, par exemple, évitait toute allusion à Louise et, lors de l'enterrement, avait ostensiblement détourné la tête à son passage.

On feignait de croire qu'elle n'avait agi que par intérêt, tout en sachant que ce n'était pas vrai. Quand le père l'avait rencontrée, elle était dactylo chez le notaire Aubrun et elle y était restée jusqu'à la mort de celui-ci. Elle devait avoir une trentaine d'années à cette époque, vingt ans de moins que son amant, et, malgré sa claudication, c'était une fille attirante, ses yeux surtout étaient beaux, et ses épaules sur lesquelles les femmes se retournaient avec envie.

— Il ne lui en a pas moins bâti une maison, disait-on à sa charge.

C'était exact. Après quelques années, Lambert lui avait construit une petite maison rue Drouet où, par tendresse, ou pour s'amuser, il avait mis tant d'ingéniosité qu'elle ressemblait à un jouet.

On s'attendait, à la mort du père, à ce que Louise figure dans le testament. Il n'en avait rien été et Louise, à cinquante ans passés, travaillait toujours chez un avoué de la rue Lepage, chez qui elle était entrée à la mort de Me Aubrun.

Chaque fois qu'il la rencontrait dans la rue, Lambert la saluait, et une première fois, peu de temps après les obsèques, il était allé la voir pour s'assurer qu'elle ne manquait de rien, car il considérait qu'une injustice avait été commise à son égard. Il avait cru, alors, en la voyant dans son cadre, comprendre la conduite de son père et, le lendemain, il en avait parlé à Marcel qui l'avait interrompu sèchement.

— Je t'en prie, parle d'autre chose.

Peut-être parce que Marcel tenait davantage de leur mère ?

Joseph, lui, avait la chair drue, le corps musclé, trapu, de son père, et aussi ses traits épais, plébéiens, un nez gras qui devenait facilement luisant.

— Qu'est-ce que tu fais par ici ?

Il tressaillit, comme pris en faute, car il n'avait pas reconnu la voix de Lescure, avec qui il avait pourtant pris l'apéritif tout à l'heure.

— Je ne fais rien, balbutia-t-il. Je prends l'air.

— Moi, je rentre. Je viens de la place de l'Hôtel-de-Ville, où je parie que des badauds passeront la nuit entière. Benezech est furieux de cette sorte d'hystérie qui empêche la police de travailler en paix. A propos de l'ami de Weisberg...

— Oui...

— Tout va bien ! Il est fou de joie. Il en pleurait au téléphone et ne trouvait plus ses mots. Son fils a pris le second car, qui est arrivé à Montargis et sera demain à Paris.

Lescure habitait à deux pas, une vieille maison

à cour intérieure qui datait du XVIIᵉ siècle et dont le portail était encore surmonté d'armoiries.

— Tu vas là-bas ? questionna-t-il.

— Je ne vais nulle part.

— Tu te sens bien ?

Cela inquiéta Lambert qu'on remarque qu'il n'était pas dans son assiette et il fut sur le point de faire demi-tour pour rentrer chez lui. Il serra la main de Lescure, qu'il avait connu au lycée.

— Bonne nuit.

— Bonne nuit, vieux. Demain ?

— Sans doute.

Même ce mot-là, *demain*, prenait un sens particulier. Où en serait-il le lendemain ? L'homme aux chèvres ne traînait-il pas, vers cinq heures et demie, au bord de la route, et ne l'avait-il pas reconnu au passage ? La radio laissait entendre que la police suivait une piste. Si c'était la sienne, ne serait-on pas déjà venu frapper à sa porte ? Et Benezech n'en aurait-il pas parlé à Lescure, avec qui il était intime ?

Ce que les ingénieurs des Ponts et Chaussées avaient découvert, vraisemblablement, c'est que la voiture était une traction-avant, les traces étant différentes de celles des autres voitures. Or, il devait en exister plus de cinquante dans le pays. Avait-il été possible, malgré la pluie qui avait continué à tomber, de relever des marques caractéristiques de pneus ?

Cela le tarabustait. Il avait changé son train de pneus quatre mois plus tôt, au début de l'été, choisissant une marque courante.

Il existait d'autres possibilités, il en existait tant, au fait, qu'il ne les avait sûrement pas envisagées toutes. Aurait-il deviné, par exemple, que sa belle-sœur Jeanne le suivait ? Du bas de la Grande Côte au carrefour le plus proche de la ferme Renondeau, on comptait environ cinq kilomètres et, à ce carrefour, se dressait un garage avec quatre ou cinq pompes à essence.

Un pompiste l'avait-il vu passer et se diriger vers Château-Roisin quelques minutes avant l'autocar ? Il roulait lentement et c'est bien parce qu'il roulait lentement qu'il n'avait pas été maître de sa voiture au moment voulu. Edmonde ne parlait pas. Lui non plus. Il était à peu près sûr, maintenant, qu'il y avait eu un premier coup de klaxon, assez lointain, comme un avertissement, alors qu'il se trouvait à peu près à mi-côte.

Il l'avait enregistré, puisqu'il le retrouvait dans sa mémoire, et pourtant, sur le coup, il n'y avait pas fait attention et n'en avait pas tenu compte. Un réflexe, en lui, n'avait pas fonctionné, et c'est là que l'accident avait commencé. Il avait entendu le klaxon comme on perçoit un bruit familier qui ne vous frappe plus, comme, vingt fois, il était passé devant l'homme aux chèvres sans le voir.

Il n'était pas ivre. Renondeau avait insisté pour l'emmener boire un coup de vin blanc dans son chai, mais il avait refusé le second verre. Or, il lui était arrivé de boire deux bouteilles et jusqu'à trois sans en être incommodé et sans que sa façon de conduire en fût influencée.

Il y avait autre chose, bien sûr, mais ça, c'était impossible à expliquer. On rappellerait certaines de ses aventures, surtout celle qui avait décidé Nicole à lui interdire l'accès de son lit. Cela s'était produit une nuit où il avait vraiment bu et où il avait emmené une fille à l'*Hôtel de l'Europe*. Il savait qu'elle ne valait pas grand-chose, que c'était une des quatre ou cinq habituées qui rôdaient chaque soir dans les rues entourant l'Hôtel de Ville.

Elle avait exagéré, voilà tout. Elle le connaissait mal, ou bien quelqu'un lui avait dit qu'une fois ivre l'argent ne comptait plus pour lui. Humilié d'être pris pour un naïf, il était devenu furieux et il l'avait flanquée, toute nue, dans le couloir, après lui avoir botté le derrière.

Cela s'était arrangé par la suite avec Benezech. Toute la ville n'en avait pas moins parlé et, pendant des semaines, Marcel avait regardé son frère d'un œil goguenard.

Que ne racontait-on de lui ? On avait le choix. Il ne se cachait pas. Souvent, il y mettait une certaine ostentation, exprès, pour choquer les gens — les peigne-culs, comme il disait alors.

Ne ferait-on pas remarquer qu'il n'avait pas d'enfants et que cela expliquait en partie son insensibilité et sa fuite ?

Or, c'était peut-être parce que Nicole et lui n'avaient pas d'enfants qu'ils ne formaient pas un vrai couple et, ce sujet-là, il valait mieux ne pas y toucher lorsqu'il était d'une certaine humeur.

On admettait, ou on feignait d'admettre, que Nicole était stérile. Or, ses trois sœurs étaient mères. Etait-ce une indication ? Il en avait toujours été tracassé au plus secret de lui-même et, maintes fois, s'était promis d'en avoir le cœur net, de se soumettre à certains tests médicaux qui l'auraient renseigné.

Au dernier moment, il reculait, parce qu'il avait peur. Il ne l'avouerait pour rien au monde. Il s'était souvent demandé si d'autres, sa femme par exemple, avaient eu la même idée, et cela suffisait à le rendre malade ou enragé.

Son frère Marcel, sûrement, y avait pensé. Lambert le revoyait, un jour que, dans le jardin, Marcel le regardait, le torse nu, la poitrine velue, soulever, par jeu, de lourds madriers.

Avec, dans les yeux, une fausse admiration, le benjamin avait sifflé :

— Un mâle, hein !

Or, c'était pour amuser le fils de Marcel que, ce dimanche-là, il se livrait à ces exhibitions, n'ayant pas lui-même d'enfants à qui montrer sa force.

— *Un mâle, hein !*

L'horloge de l'Hôtel de Ville, qui formait comme une lune roussâtre au haut de la tour sombre, sonnait neuf heures et demie quand il déboucha sur la place presque aussi animée qu'un soir d'élections. Le *Café Riche* regorgeait, sans une place libre à la terrasse dont on avait levé le vélum depuis que la pluie avait cessé.

L'air restait humide, plus chaud que les soirs précédents. Toutes les fenêtres de l'Hôtel de Ville étaient encore éclairées et la foule, marchant lentement, par couples ou par petits groupes, s'agglomérait surtout en face des bureaux du journal. On avait déjà collé à la vitre un certain nombre de photographies de l'autocar après l'accident. On avait aussi pris des clichés du sous-préfet, du préfet, d'un groupe d'enquêteurs au milieu de la route, du commissaire Benezech en compagnie du lieutenant de gendarmerie.

Sur un panneau, on affichait les dernières nouvelles tapées à la machine.

« *Les docteurs Poitrin et Julémont sont toujours au chevet de la petite Lucienne Gorre qu'ils s'efforcent de sauver. Deux transfusions de sang ont eu lieu et les donneurs se présentent en si grand nombre à l'hôpital qu'il a fallu, par la radio, leur demander de ne plus se déranger.* »

Une autre feuille, qu'on avait entourée d'un ruban noir afin de lui donner l'aspect d'un faire-part mortuaire, alignait les noms des victimes, avec leur âge et leur adresse. Toutes venaient du XIVe arrondissement de Paris, car la colonie de vacances appartenait à une école de cet arrondissement.

« *Par bélinographe* », annonçait une affichette.

Et, dessous, étaient collées d'autres photos, grisâtres et d'autant plus sinistres, de parents massés, là-bas, dans la cour de l'école où ils attendaient des nouvelles. Il pleuvait à Paris aussi et certains tenaient un parapluie.

Lambert restait au dernier rang de la foule, fasciné par cette exposition macabre, insensible aux heurts des passants. On avait eu le temps d'agrandir une photographie pour laquelle on avait aussi trouvé un titre :

« *Schéma de l'accident.* »

C'était simplement la route sur laquelle la pluie, en diluant la poussière, avait formé une couche presque plastique. On y voyait les empreintes des pneus de la traction-avant et on pouvait retracer son parcours, suivre aussi les empreintes plus larges et plus en relief de l'autocar fonçant vers l'arbre dont une autre photographie montrait la blessure.

On savait donc désormais qu'une fois en face du Château-Roisin, l'automobiliste n'avait pas suivi la grand-route mais avait tourné à droite en direction de la Galinière. Les gendarmes, ou les policiers, n'avaient eu qu'à suivre le tracé sur l'asphalte. Jusqu'où cela les avait-il conduits ? Le chemin de la Galinière n'était pas recouvert du même enduit mais d'une matière granuleuse. La pluie y avait-elle effacé le sillon des pneus avant qu'on songe à le relever ?

On n'en parlait pas. Cela ne signifiait rien ; cela pouvait, au contraire, cacher une menace.

Il écarquilla les yeux, tout à coup, devant un spectacle qui n'était pas extraordinaire en soi mais qui, pour lui, à cet instant-là, n'en était pas moins imprévu. Comme il se tenait au bord du trottoir, face aux vitrines du journal, des gens défilaient entre lui et les dos des autres spectateurs.

Or, il voyait deux femmes passer de la sorte, lentement, avec le flot, bras dessus, bras dessous, et lancer, sans s'arrêter, un coup d'œil vers l'étalage. C'était Edmonde Pampin, pâle à son habitude, mais calme, détendue, qui se promenait avec sa mère. Elles ne l'aperçurent pas. La mère était plus petite que sa fille, la taille épaisse, les hanches larges, et toutes deux étaient sorties sans chapeau, elles allaient sans doute, comme un dimanche, faire encore une fois ou deux le tour de la place avant de monter se coucher.

Il ne sut pas exactement pourquoi leur apparition le troublait tant. Peut-être était-ce la sérénité d'Edmonde, qui n'avait eu qu'un regard indifférent pour les photographies ? Elles n'étaient, dans la foule, que deux femmes du peuple, la mère et la fille, qui prenaient le frais par un soir très doux de septembre.

Il eut envie, pour sa propre satisfaction, pour se soulager, de lancer un mot grossier, n'importe lequel, le plus vulgaire qui lui viendrait aux lèvres. Cette fille-là, qui marchait sans déplacer l'air, avec un visage de madone, ne se rendait-elle donc compte de rien ? Ou alors était-elle bête à un tel point ?

Le mot de l'ouvrier maçon lui revint :

— *Un bestiau !*

Et une bouffée de haine lui monta à la tête, lui serra la gorge, il s'arracha à son morceau de trottoir, se mit à marcher dans la direction opposée.

Il venait de décider de boire, quoi qu'il puisse arriver ensuite, mais il n'entra pas au *Café Riche*, trop plein, où se trouvaient trop de camarades. Il poursuivit sa route jusqu'à la rue Neuve et poussa la porte du premier bar.

Ici aussi, il y avait plus de monde que d'habitude mais la plupart des consommateurs suivaient, sur l'écran de la télévision installé entre les deux salles, les péripéties d'un combat de boxe.

— Qu'est-ce que ce sera, monsieur Lambert ?

Le patron le connaissait. Il lui était arrivé souvent de rester à boire, jusqu'à la fermeture, et c'était de ce même bar qu'il emmenait parfois une fille. L'*Hôtel de l'Europe*, où il avait déclenché le fameux scandale, était à deux pas.

— Un marc !

A cause de l'odeur forte et parce que c'est le plus râpeux des alcools. Il avait envie de quelque chose de crapuleux, d'une sorte de protestation, de profession de foi. C'est dans des moments comme celui-là qu'il éclatait en regardant les gens autour de lui :

— *Tas de salauds !*

— Ça va, monsieur Lambert ?

— Ça va, Victor.

— Vous avez vu le mouvement que cette histoire apporte en ville ?

— J'ai vu.

— Et ce n'est pas fini, croyez-moi.

Victor regarda l'horloge sur le mur opposé.

— Le train de Paris arrive dans trois quarts d'heure et amène les familles. Il paraît qu'il y a déjà plus de cinq cents curieux à la gare pour les voir arriver.

— Nom de Dieu !

— Hein ?

Il avait juré entre ses dents, pris de colère, et il se jeta le marc au fond de la gorge d'un geste furieux.

— Rien. Remets ça !

— Je ne voudrais pas être dans les culottes du type à la traction-avant. Je parie que, si on le jetait à la foule, au milieu de la place, il n'en resterait pas un morceau après dix minutes.

Victor, qui en avait vu de toutes les couleurs, était peut-être capable de comprendre ?

— Faut se mettre à la place des parents, poursuivait-il à mi-voix. Moi, je me mets aussi à la place de ce type-là, parce que j'ai assisté à un certain nombre d'accidents dans ma vie. Qu'est-ce qui nous prouve que...

— Ta gueule, Victor !

Quelqu'un s'était retourné vers le patron, l'air dur, la voix catégorique.

— Je fais seulement remarquer que certaines gens...

— J'ai dit : ta gueule ! Tu m'as entendu ?

Et Victor se tut, avec, vers Lambert, un regard qui signifiait :

— A quoi bon ?

Celui qui lui avait fermé la bouche était un des individus les moins recommandables de la ville, un ancien boxeur qui faisait les foires de la région et avait de fréquents ennuis avec la police. L'instant d'avant, il suivait le combat de boxe à la télévision ; il avait suffi d'une allusion au conducteur de la traction-avant pour le pousser hors de ses gonds.

Deux filles, à un guéridon, près de la porte, regardaient vaguement devant elles et Lambert les connaissait de vue, elles devaient, de leur côté, savoir qui il était. L'une d'elles, qui avait une dent en or, lui sourit quand leurs regards se croisèrent.

Il fut tenté. Non pas qu'il eût envie d'elle, mais toujours, comme pour le marc, par protestation. Pourquoi, au point où il en était, ne pas faire quelque chose de bien ignoble ? « Ils » pourraient s'acharner contre lui et son frère Marcel serait content, Angèle et ses pareilles auraient de bonnes raisons de le mépriser.

Il imaginait les journaux du lendemain imprimant :

« *La police a fouillé la ville toute la nuit à la recherche de Joseph Lambert, l'auteur de la catastrophe du Château-Roisin, et est parvenue enfin à l'arrêter dans une chambre d'hôtel où il était couché avec une fille publique de bas étage.* »

N'est-ce pas dans ces endroits-là qu'on met la main sur la plupart des criminels ? Il n'y avait jamais pensé, mais il commençait à comprendre pourquoi.

La femme à la dent en or, qui avait peut-être surpris son hésitation, ouvrait son sac et se poudrait sans le quitter des yeux.

— Un autre, Victor, commanda-t-il.

Elle demanda, de sa place, en minaudant :

— Moi aussi ?

Il haussa les épaules. Qu'elle boive tout ce qu'elle voudrait, elle et son amie, et toutes celles qui défilaient sur la place comme à la foire !

— Je dois ? questionnait Victor.

— Pourquoi pas ?

Sa femme était chez Jeanne avec ses autres sœurs, toutes les filles Fabre sous le regard ému de ce brave imbécile de Nazereau. Et toutes étaient émues, parbleu ! Et les bonnes âmes de la ville s'en donnaient à cœur joie de pleurer. Ce n'était pas assez des photographies. On se précipitait à la gare pour assister au défilé des parents.

— Ça ne va pas ?

C'était la seconde fois qu'on lui posait la question et, de la part d'un homme comme Victor, c'était dangereux, car il était autrement subtil que Lescure.

— Je suis comme tout le monde, quoi ! lança-t-il.

— Barbouillé, hein ?

Après un silence, Victor questionna :

— Vous êtes allé voir ?

— Non.

— Il y en a qui y sont allés. Après, quand tout le monde s'y est mis, on a dû installer des barrages. Ceux qui ont vu en sont revenus malades.

— Un autre ! grogna-t-il.

Victor hésita. Cela lui était arrivé de conseiller amicalement à Lambert de s'arrêter. Pourquoi ne le fit-il pas cette fois-ci ?

— Vous n'allez pas... questionna-t-il sans finir sa phrase autrement que par un regard aux deux filles.

— Bien sûr que non.

— Cela vaut mieux. Entre nous, je ne suis pas sûr qu'elles soient saines.

Il faillit lui répliquer :

— Ce ne serait peut-être pas si bête d'attraper la vérole !

Il ne le fit pas, paya tout de suite, sentant que cela allait se gâter, qu'il fallait qu'il rentre chez lui au plus vite.

Dans la rue, il se répétait à mi-voix :

— Il faut que je rentre chez moi. Il faut que je rentre...

Il en avait marre de tout, de sa femme, de son frère Marcel, des filles aux dents en or et des joueurs de bridge, de la ville, des journalistes et des photographes, marre de la radio, des curieux qui se promènent avec un air innocent, des femmes qui pleurent et des Victor qui distribuent des conseils. Il en avait marre de lui-même, marre d'être un homme.

3

Comme Lambert passait devant la grille du
chantier, une silhouette sortit de l'ombre devant
lui et il ne tressaillit pas, prit machinalement dans
sa poche son paquet de cigarettes qu'il tendit à
Jouvion.

— Garde-le.

— Merci, monsieur Lambert. Bonne nuit.

Et le gardien de nuit disparut dans son domaine
de briques, de poutres et de camions au fond
duquel brillait la petite lumière de sa cabane.

C'était une tradition, quand Lambert rentrait le
soir, de lui donner deux ou trois cigarettes que le
vieux ne fumait pas et dont il faisait une chique.
Avec son chapeau informe, sa veste trop grande,
il ressemblait à un clochard des quais de Paris et
comme eux, l'hiver, pour se tenir chaud pendant
ses rondes, il glissait de vieux journaux sous sa
chemise.

Peut-être était-ce un ancien clochard venu chercher la sécurité au chantier ? Il se rasait une fois
l'an, au printemps, le même jour qu'il se faisait
couper les cheveux, et il était vraisemblablement
le seul en ville, à cette heure, à ne rien savoir de
la catastrophe.

L'appartement était obscur, sauf un trait de
lumière sous la porte de la cuisine où Lambert
trouva Angèle, droite sur sa chaise, la tête penchée

en avant, les mains croisées sur son giron. Les yeux mi-clos, elle écoutait une émission théâtrale à la radio.

Tressaillant, elle prononça, comme s'il la prenait en faute :

— Madame n'est pas rentrée.

Il lui répondit :

— Je m'en f... !

Il ne lui souhaita pas le bonsoir, s'éloigna sans un mot de plus, persuadé qu'il venait de lui faire plaisir. Elle avait besoin de se sentir victime de la dureté des hommes et c'était pour cela qu'elle passait sa soirée dans la cuisine sur une chaise inconfortable. Personne ne lui demandait de veiller. Même si elle croyait de son devoir de le faire, elle aurait pu emporter la radio dans sa chambre où elle avait un excellent fauteuil, ou s'étendre sur son lit.

Il se déshabilla, passa un instant dans la salle de bains où il se regarda durement dans la glace et s'endormit d'un sommeil lourd, avec toujours le goût de marc à la bouche. Plus tard, la lampe se ralluma, il entrouvrit les paupières, vit Nicole se déshabiller à son tour mais, quand elle tourna la tête vers lui, il feignit de dormir pour éviter de lui parler. Il se rendormit d'ailleurs avant qu'elle fût couchée et ne se réveilla qu'à six heures.

Comme son père, il n'avait pas besoin de réveille-matin et il aimait être le premier debout dans la maison. Sans bruit, sans allumer la lampe, il revêtait un pantalon, une chemise, une vieille veste et se dirigeait vers la cuisine où il préparait son café. Il n'avait pas la gueule de bois. Il ne l'avait jamais eue. Seulement l'arrière-goût du marc, que le café et une première cigarette dissipèrent.

Au début, Angèle avait prétendu se lever pour lui préparer son café, ce qui lui aurait été une raison de plus de se croire exploitée. Pendant des semaines, il l'avait trouvée à la cuisine avant lui et il avait dû se fâcher pour qu'elle ne lui gâche pas le meilleur moment de sa journée.

Le ciel restait gris comme la veille, d'un gris plus léger, et il y avait déjà de l'animation sur le pont des deux péniches.

Lambert descendit, pieds nus dans ses pantoufles, sans cravate, les cheveux non peignés, ainsi qu'il avait vu son père le faire pendant tant d'années et, avant l'arrivée de qui que ce soit, passa au bureau pour consulter les feuilles de travail.

Ils avaient presque toujours, sauf l'hiver, cinq ou six chantiers en train, parfois à une vingtaine de kilomètres, et certaines besognes, comme le déchargement des péniches, se faisaient à deux équipes afin d'éviter une longue immobilisation des bateaux.

Vingt ans auparavant, l'entreprise n'occupait que l'emplacement de la première cour, celle sur laquelle donnaient les nouveaux bureaux. Il avait fallu racheter des terrains vagues, puis la forge d'un maréchal-ferrant et, plus tard, une guinguette où quelques couples venaient passer les beaux dimanches.

C'était lui, Joseph, qui avait été à l'origine de cette expansion. Sa mère voulait faire de lui un médecin, ou un avocat ; elle avait obtenu qu'il fût envoyé au lycée, où il était resté jusqu'à dix-huit ans sans parvenir, ensuite, à passer son bachot. Après qu'il eut été recalé deux fois, on s'était résigné à le laisser travailler avec son père et, comme celui-ci, il avait grimpé sur les échafaudages, manié la truelle, assujetti des poutres.

Après trois ou quatre ans, il avait déjà ses idées à lui.

— Si nous nous cantonnons à la maçonnerie, avait-il dit un jour à Lambert-le-Vieux, on ne nous confiera jamais de travaux vraiment importants.

Leurs principaux clients étaient les fermiers d'alentour et on commençait à édifier des granges et des silos métalliques.

C'était une nouvelle branche à étudier, de nouvelles équipes à former. Pourquoi, tant qu'on y était, ne pas s'occuper aussi de tout le gros œuvre de menuiserie ?

Lui encore avait suggéré que Marcel, plus jeune de cinq ans, suive les cours d'une bonne école technique, et on l'avait envoyé à Saint-Etienne.

Depuis qu'il en était revenu, les deux frères n'avaient jamais eu un désaccord sur le terrain professionnel. Chacun avait sa besogne, ses responsabilités. Marcel était le cerveau, dans un certain sens, Joseph l'animateur.

Et quand, à la mort du père, Fernand, leur benjamin, qui vivait à Paris, avait réclamé sa part, ils s'étaient entendus pour emprunter à la banque de quoi la lui verser en une seule fois et rester ainsi les maîtres de l'affaire.

Ils l'étaient à égalité. Quant à ce que Fernand avait fait de son argent, ils l'ignoraient. Ils avaient entendu parler d'une galerie de tableaux qu'il aurait ouverte du côté du boulevard Saint-Germain. C'était possible. Avec Fernand, tout était possible. Il ne tenait, lui, ni du père ni de la mère. Avec son visage allongé, ses cheveux trop blonds, ses gestes délicats, il avait toujours été dans la famille comme un élément étranger.

A cause d'une menace de tuberculose, quand il avait onze ou douze ans, on l'avait retiré de l'école et il avait vécu pendant deux ans en serre chaude dans l'appartement où il passait ses journées à dévorer des livres.

Puis on l'avait envoyé en pension dans la Haute-Savoie et il en était revenu si différent des siens que ceux-ci se sentaient gênés devant lui.

A dix-sept ans, sans l'annoncer à personne, il était parti pour Paris et on était resté huit ou neuf mois sans nouvelles. Par la suite, il était revenu de temps en temps, toujours plus affiné, si affiné que Joseph s'était souvent demandé s'il n'était pas pédéraste. Il avait fait partie d'une troupe théâtrale d'avant-garde dont on parlait parfois dans les journaux, travaillé dans une maison d'édition peu connue et, une fois, leur père avait reçu une demande d'argent datée de Capri.

Quel âge avait-il à présent ? Quatre ans de moins que Marcel. Donc neuf ans de moins que Joseph. Soit trente-huit ans. A l'enterrement de leur mère, c'était lui qui s'était montré le plus affecté et il était reparti le soir même, après quoi on ne l'avait revu qu'aux obsèques du vieux Lambert.

Joseph l'avait beaucoup observé ce jour-là, en particulier au cimetière, pendant le défilé des amis et connaissances. Il avait été frappé de ce qu'il y avait comme d'aérien chez son plus jeune frère. On aurait dit que, par une sorte de grâce, celui-ci échappait à la réalité, à la pesanteur comme aux soucis de la vie quotidienne.

Il en avait parlé à Marcel, le lendemain.

— Tu ne crois pas que Fernand se drogue ?

Marcel l'avait regardé de ses yeux froids et moqueurs d'homme qui sait tout et avait haussé les épaules.

A quoi bon penser à Fernand, penser à Marcel qui, à neuf heures, ponctuel et sûr de lui, viendrait prendre place dans son bureau encombré de planches à dessin ?

Des pauvres types mal vêtus, mal réveillés, qui n'étaient pas encore tout à fait réchauffés, commençaient à se grouper sur le quai, des Nord-Africains pour la plupart, qu'on ramassait dans les bas quartiers quand il y avait un bateau à décharger. Ce n'était pas un travail régulier. On était souvent deux semaines sans voir une péniche amarrée au débarcadère.

Ils battaient la semelle dans le matin frais et quelques-uns se frappaient les omoplates de leurs mains avec de grands gestes de pantins.

Enfin, le père Angelot, que tout le monde appelait Oscar, arriva lentement sur sa bicyclette.

Lambert le rencontra dans la cour.

— Ça va, monsieur Lambert ?

— Ça va, Oscar. Vos hommes sont là ?

— Pas tous. Il va sûrement encore en manquer quelques-uns.

Un journal local encadré de noir, comme aux jours de deuil national, dépassait de sa poche, mais Lambert ne demanda pas à le voir.

Le père Angelot se dirigeait vers le vestiaire où il allait se changer tandis que Lambert traversait la chaussée et se campait devant les péniches dont les mariniers avaient retiré les panneaux. C'était un chargement de belles briques roses qui, petit à petit, formeraient sur le quai des files aussi régulières que des maisons.

Les mariniers le saluaient de la main. L'air, près de la cabine, sentait le café et on entendait la voix de la petite fille que sa mère habillait et qu'on apercevait, en sous-vêtement blanc, par le hublot.

Ici aussi traînait, sur le pont, un exemplaire bordé de noir du journal. Le père Angelot s'approchait, donnait un coup de sifflet et les hommes se groupaient autour de lui pour recevoir leurs instructions tandis que d'autres ouvriers, les réguliers, ceux-là, commençaient à arriver à vélo ou à moto.

Un quart d'heure plus tard, les chantiers étaient animés d'un bout à l'autre, on chargeait du matériel et des outils sur les camions et les camionnettes qui allaient conduire les hommes à pied d'œuvre.

— Vous passerez vérifier le coffrage, monsieur Joseph ?

— Je serai là-bas vers dix heures. Ça va ?

— Ça ira. On aura de l'autre boulot en attendant.

Il compta onze journaux qui dépassaient des poches et la mise en train, ce matin-là, était moins bruyante qu'à l'ordinaire, les hommes ne s'interpellaient pas aussi gaiement, on entendit peu de plaisanteries.

C'était l'heure où Nicole se levait et faisait sa toilette. A huit heures, le petit déjeuner serait servi et Lambert prendrait son bain à son tour.

Pour acheter un journal, il aurait dû se rendre à près de trois cents mètres, rue de la Ferme, et il ne voulait pas y aller non peigné, pieds nus dans ses pantoufles.

Il avait à la fois peur et envie de savoir. Sa fièvre, son exaltation de la veille au soir avaient fait place à une humeur morne comme le ciel de ce matin-là, ou mieux comme son reflet dans l'eau sale du canal. Un mauvais goût persistait dans sa bouche, qui n'était plus celui du marc de chez Victor, et il avait honte de son hésitation quand il avait regardé la fille à la dent en or.

Une expression lui revenait de loin, qu'il n'avait jamais entendu employer que par l'étrange vicaire qui leur faisait le catéchisme : *l'arrière-goût amer d'une mauvaise conscience.*

Depuis qu'il était levé, il marchait, se comportait, parlait, regardait les gens à la façon d'un coupable.

Il avait l'impression que tout le monde savait, que Benezech n'attendait qu'une heure décente pour venir l'arrêter. Il rôda dans la menuiserie, dans les magasins, et, comme Oscar était toujours sur le quai aux prises avec ses Nord-Africains, il se glissa dans le vestiaire pour prendre le journal dans sa poche.

Il ne l'ouvrit qu'une fois dans son bureau dont il avait refermé la porte.

La première page était presque entièrement consacrée aux photographies qu'il avait vues la veille à la vitrine, place de l'Hôtel-de-Ville. Il y en avait deux, pourtant, qu'il ne connaissait pas encore. La première, prise par un amateur, représentait, dans un jardin, une petite fille d'environ huit ans qui tenait la tête penchée sur le côté et les bras raides le long du corps.

On lisait :

« *La petite Lucienne Gorre au cours des vacances de l'année dernière.* »

Tout à côté, un lit d'hôpital, un homme en blouse blanche penché sur une forme immobile, sur un visage entouré de pansements.

« *Le docteur Julémont lutte pour conserver l'enfant à la vie.* »

Sur cette photo-là, on distinguait un tube de caoutchouc qui aboutissait au bras de la malade.

Sous-titre, au milieu de la page :

« *Soixante pour cent de chances, déclarent les médecins.* »

Ce n'est qu'à la page suivante qu'on s'occupait de lui.

« *Vaste opération policière pour retrouver la traction-avant.* »

Il faillit ne pas lire, décrocher le téléphone qui se trouvait à portée de sa main sur le bureau, appeler Benezech pour lui déclarer :

— Cessez les recherches, mon vieux. C'est moi.

Cette traction-avant qu'ils étaient des douzaines de policiers et de gendarmes à rechercher dans la région, il pouvait la voir de sa place, à travers la fenêtre, au bord du trottoir où elle avait passé la nuit.

Aucun des ouvriers, en arrivant le matin, ne l'avait-il regardée en se disant : « C'est peut-être celle-ci... »?

Beaucoup d'entre eux savaient qu'il s'était rendu à la ferme Renondeau et qu'il était probablement passé par la Grande Côte.

Marcel savait en outre qu'il avait emmené

Edmonde et savait pourquoi, car il les avait surpris au moins une fois, non pas en auto mais dans ce qu'on appelait le bureau des archives. Marcel, comme il fallait s'y attendre, n'avait rien dit, n'avait fait ensuite aucune allusion à ce qu'il avait vu.

C'est de son frère, soudain, qu'il eut le plus peur, pas tellement peur que Marcel le dénonce mais que Marcel sache. Le plus simple, si cela arrivait, ne serait-il pas de se tirer une balle dans la tête ? Lambert possédait, dans le tiroir de son bureau, un gros revolver d'ordonnance qu'il avait rapporté de la guerre. Il l'y gardait sous la main depuis que, les jours de paie, des attaques à main armée s'étaient produites dans certaines villes.

Pourquoi ne pas en finir maintenant, tout de suite, sans prendre la peine de monter déjeuner, de passer à la salle de bains, de subir un tête-à-tête avec sa femme puis, plus tard, de se trouver en face d'Edmonde ?

Le journal relatait qu'on avait passé la nuit à fabriquer des cercueils pour les victimes cependant qu'avec l'aide des parents déjà arrivés, on s'efforçait de les identifier. Dès la fin de la matinée, la grande salle de l'Hôtel de Ville serait transformée en chapelle mortuaire et la foule admise à défiler.

Aurait-il le courage de subir tout cela ?

Le père de la petite Gorre était veuf, encore très jeune, avec des yeux doux, un visage de faible sur qui s'acharne le malheur. On l'avait photographié dans le couloir de l'hôpital, assis sur une banquette, comme ceux qui, dans l'antichambre de la maternité, attendent qu'on leur annonce une naissance.

La sonnerie du téléphone résonna brutalement et Lambert hésita à décrocher, persuadé que c'était Benezech, ou le lieutenant de la gendarmerie, ou encore Marcel qui venait de découvrir la vérité. Il laissa sonner plusieurs fois, saisit enfin le récepteur parce que le bruit lui était insupportable.

— Allô !

— C'est vous, monsieur Lambert ?

Il se détendit si vite qu'il en devint mou. Il avait reconnu, à l'autre bout du fil, la voix de Nicolas, le contremaître qui dirigeait le chantier de la porcherie.

— Je pensais bien que vous seriez encore au bureau. J'aurais dû, hier soir, compter les sacs de ciment qui me restent. J'ai peur que nous soyons court et, pour ne pas perdre de temps, vous pourriez m'envoyer une vingtaine de sacs.

D'une voix naturelle, Lambert conversa un moment avec Nicolas, tandis que son regard errait sur le journal et y cueillait ce passage :

« *C'est une véritable chasse à l'homme qui commence, avec, pour aider la police, la population tout entière que fouette l'indignation...* »

Le récepteur toujours à la main, il se redressait, sa chair reprenait sa dureté, ses épaules leur carrure.

— J'envoie un camion dans quelques minutes et je passerai peut-être jeter un coup d'œil vers la fin de la matinée... Non ! Il ne pleuvra pas... Tu peux y aller...

Quand il raccrocha, il ne pensa plus au revolver, se leva, laissa le journal étalé, comme un défi. Du moment qu'il s'agissait d'une chasse à l'homme et que c'était lui qu'on traquait, cela devenait une autre histoire !

Il donna des instructions au magasinier, grimpa là-haut.

— Mon petit déjeuner, Angèle, lança-t-il dès le couloir.

Il s'installa à sa place dans la salle à manger où sa femme ne tarda pas à le rejoindre. Elle était déjà prête pour la journée car ce n'était pas le genre de femme à traîner en peignoir ou en robe d'intérieur.

— Tu es rentré tôt, hier soir, remarqua-t-elle.

Il dit simplement oui, en lui accordant à peine un regard.

— Je suis restée jusqu'à onze heures et demie chez Jeanne qui a subi une telle commotion que nous hésitions à appeler le médecin.

Il murmura sans ironie apparente :

— Pauvre Jeanne !

— Je viens de téléphoner à son mari. Elle est levée. Il paraît que le journal de ce matin est si émouvant que...

Elle s'interrompit :

— Tu l'as lu ?

— Oui.

— Que dit-il ?

— Je vais te le chercher.

C'était plus simple. Il descendit malgré ses protestations, remonta avec le journal bordé de noir qu'il posa à côté d'elle sur la table.

— Tu es allé voir, hier ?

— Non.

Elle l'observa plus attentivement.

— Tu as bu ?

— Quelques verres de marc.

Elle ne lui demanda pas pourquoi, ni où, se pencha sur les photographies de la première page.

— Pourvu qu'ils sauvent cette petite !

Il mangeait ses œufs à la coque en regardant sa femme bien en face et il aurait été difficile de dire à quoi il pensait. Ses prunelles étaient sombres, son front buté comme quand, dans un bar, il flairait la bagarre ou quand il allait la provoquer.

— Si Jeanne était seulement passée deux minutes plus tôt au Château-Roisin, elle aurait vu l'automobiliste.

— Dommage qu'elle ne l'ait pas vu !

— Je me demande comment il a eu le cœur,

avec ces enfants qui hurlaient au milieu des flammes, de...

Il parvint à ne pas se lever et même à finir son œuf, mais, si sa femme l'avait regardé à ce moment-là au lieu de s'absorber dans sa lecture, elle aurait compris qu'il se retenait de vomir.

— Quand nous sommes arrivés sur les lieux, Marcel et moi, le feu était éteint, mais les débris fumaient encore. Marcel a travaillé jusqu'à neuf heures du soir avec les pompiers à...

Il se levait de table, sans hâte, se dirigeait vers la porte.

— Excuse-moi. On m'attend au bureau à neuf heures.

Il se rasa, fit sa toilette comme les autres jours et, au moment de passer le complet qu'il portait la veille, se ravisa. Si quelqu'un avait aperçu un homme en complet bleu marine dans une traction-avant, il valait mieux, pendant quelques jours, se montrer avec un vêtement d'une autre couleur. Il en choisit un gris, changea de cravate et même de chapeau.

N'annonçait-on pas une battue dans laquelle il tenait le rôle de gibier ?

— Tu as besoin de la voiture ? questionna Nicole au moment où, à neuf heures moins cinq, il s'engageait dans l'escalier.

— Pourquoi ?

— Si tu ne t'en sers pas, je la prendrai. J'ai rendez-vous à l'Hôtel de Ville pour préparer la chapelle ardente et j'ai promis d'aller d'abord au marché chercher toutes les fleurs que je pourrai trouver. Nous nous sommes partagé la besogne. Renée Bishop fera le tour des horticulteurs...

Il lui tendit la clef sans un mot.

— Tu es sûr que tu...

— Je prendrai la 2 CV.

Il avait failli sourire ironiquement en l'entendant formuler sa requête, car c'était bien la meilleure chose qui pût arriver. Il n'y aurait pas pensé de lui-même. Elle allait se servir de la traction-avant pour le travail du comité et personne ne s'aviserait d'établir un rapprochement avec l'auto recherchée.

— Tu seras ici pour déjeuner ? demanda-t-elle encore.

— C'est probable.

— Il est possible que je sois retenue là-bas...

Il lui fit signe que cela ne le gênait pas, descendit le petit escalier, trouva la plupart des employés et des dactylos à leur place. A travers une des cloisons vitrées, il aperçut Marcel, en bras de chemise, qui travaillait dans le bureau des dessinateurs.

Ils n'allaient pas nécessairement l'un vers l'autre, le matin, pour se saluer, et parfois ils ne se souhaitaient le bonjour qu'au milieu de la matinée, quand ils se rencontraient par hasard ou quand ils avaient à discuter travail.

S'arrêtant près d'un employé qui pointait l'entrée et la sortie du matériel, il lui annonça :

— J'ai envoyé ce matin vingt sacs de ciment à Nicolas, qui craignait de tomber à court.

— Bien, monsieur Lambert.

Pour la plupart, surtout pour les anciens, dès la mort de son père il était devenu monsieur Lambert au lieu d'être monsieur Joseph, alors que son frère, lui, restait monsieur Marcel. Cela lui faisait d'autant plus de plaisir qu'il ne leur avait rien demandé.

— Mlle Pampin n'est pas arrivée ?

Cela le surprenait, à neuf heures cinq, de ne pas la voir à sa place, car elle était ponctuelle.

— Elle était ici il y a un moment. Je ne sais pas où elle...

L'employé regardait autour de lui. Lambert se demandait si Edmonde n'était pas à l'attendre dans son bureau et il fronçait déjà les sourcils quand il la vit sortir des toilettes, si pareille à elle-même qu'il en perdit contenance.

— Bonjour, monsieur Lambert.

Il laissa tomber :

— Bonjour.

Ce n'était pas son ton habituel, mais elle ne marqua aucune surprise, s'assit devant sa table de machine, ouvrit le tiroir, rangea ses crayons, ses gommes, son bloc à sténo.

— Vous dictez maintenant ?

Si c'était pour se trouver seule avec lui et pour lui parler, il allait le savoir tout de suite.

— Oui.

Il poussa la porte de son bureau, s'assit dans sa chaise tournante dont, lorsqu'il dictait, il renversait en arrière le dossier articulé.

— Entrez. Donnez-moi le dossier « à répondre ».

Elle le plaçait devant lui, évoluant sans bruit, sans rien frôler, avec une ondulation du corps qu'il n'avait vue qu'à elle. Elle prit sa place habituelle, installa son bloc sur la tablette et attendit, ne levant les yeux qu'après qu'il eut gardé le silence pendant de longues minutes.

Ce fut lui qui faillit l'attaquer, tant il était suffoqué par son calme, par cette indifférence inhumaine qui lui rappelait tout à coup son frère Fernand. Et Fernand aussi avait cette façon de manier les objets comme s'il jonglait, ou comme s'ils eussent été immatériels.

— *Monsieur...*

Il s'interrompit.

— C'est pour la maison Bigois, de Lille.

— Bien.

— *Je suis au regret de devoir vous annoncer que, malgré nos observations des...* Ici, vous intercalerez les dates de mes deux dernières lettres...

— 18 juillet et 23 août.

Elle disait cela simplement, sans vanité, sans souci d'épater.

— Bon. Je continue... *nos observations des 18 juillet et 23 août, les emballages continuent à être défectueux, ce qui entraîne une perte de près de vingt pour cent...*

— M. Bicard évalue la perte à douze pour cent.

Bicard, c'était le chef comptable de la maison, qui occupait, tout seul, une cage de verre bourrée de registres.

— J'ai dit : *vingt pour cent...*

— Bien, monsieur.

— Je vous demanderai de ne plus m'interrompre.

— Bien, monsieur.

Il tira son mouchoir de sa poche et s'épongea, furieux, perdant pied.

— Où en sommes-nous ?

— ... *une perte de près de vingt pour cent...*

— Ajoutez que, dans ces conditions, il nous est impossible de continuer de leur passer nos commandes et terminez par mes regrets et mes salutations distinguées. Vous avez le dossier Beauchet ?

— Je l'ai posé sur votre sous-main.

— Prenez note : *Mon cher Beauchet, j'ai le plaisir de vous envoyer ci-joint le devis que vous nous avez demandé et qui, je crois, recevra votre agrément. Je vous signale toutefois que, si le prix total excède quelque peu les prévisions antérieures, cela est dû aux nouveaux droits de douane sur les bois du Nord. J'ai cru que...*

Il lança rageusement :

— Entrez !

On avait frappé à la porte. Celle-ci s'ouvrait. C'était Marcel, qui passait la tête et paraissait surpris de trouver son frère et Mlle Pampin au travail. A quoi s'était-il attendu ?

— Je te dérange ?

— Qu'est-ce que tu veux ?

C'était surtout Edmonde que Marcel regardait,

un peu comme Lambert l'avait regardée quand elle était sortie des toilettes.

— Ta femme est partie ?

— Je n'en sais rien. Pourquoi ?

— Parce que, sinon, je lui demanderais d'aller prendre la mienne, qui n'a pas de voiture. Elles doivent se retrouver à l'Hôtel de Ville à dix heures et...

— Va voir là-haut. Tout ce que je sais, c'est que Nicole m'a demandé l'auto.

— Tu sors, ce matin ?

— Oui. J'ai promis de passer par la ferme Renondeau.

On aurait dit que Marcel hésitait à s'éloigner, avait d'autres questions sur le bout de la langue.

— Alors ? Tu nous laisses travailler ?

— Excuse-moi.

Lambert se trompait peut-être mais il aurait juré que son frère se retirait déçu, en homme qui a espéré autre chose. Avait-il réellement eu des soupçons ? Avait-il cru surprendre Lambert et Edmonde en train de chuchoter comme deux complices ?

— Relisez-moi la dernière phrase.

— *J'ai cru que...*

Il enchaîna et, en moins d'un quart d'heure, dicta une dizaine de lettres. A la fin, il se tenait debout, face à la fenêtre par laquelle il voyait la file des Nord-Africains, comme une longue chenille onduleuse, monter et descendre les planches élastiques reliant la péniche au quai.

— Si je ne suis pas rentré à midi, faites signer le courrier par M. Bicard.

Celui-ci était aussi fondé de pouvoir et, depuis deux ans, recevait une participation dans les bénéfices. C'était un petit homme grassouillet, jovial, qui pouvait passer des heures immobile sur sa chaise, penché sur ses écritures, sans éprouver le besoin de se détendre les muscles. Le crâne chauve, le visage d'un rose de bébé, son seul défaut était d'avoir mauvaise haleine et, le sachant, il avait toujours une boîte de cachou à portée de la main.

— C'est tout pour le moment.

Il attendait curieusement de savoir si elle allait enfin lui dire quelque chose mais elle se leva sans en manifester l'intention et se dirigea vers la porte.

Alors, ce fut lui qui éprouva le besoin de parler.

— Au fait, je vous ai aperçue hier soir en compagnie de votre mère place de l'Hôtel-de-Ville.

Elle lui fit face, surprise.

— Ah ! Je ne vous ai pas vu.

— En face des bureaux du journal.

— Nous sommes en effet sorties une heure pour prendre l'air. Ma mère reste à la maison presque toute la journée.

Quelqu'un avait dit à Lambert que la mère était culottière.

Edmonde attendait, avec l'air de se demander s'il avait autre chose à lui dire.

— C'est tout ! lança-t-il avec une colère rentrée.

Cela le dépassait. Il en était humilié. Il avait horreur de ne pas comprendre et, après un an de rapports aussi intimes qu'un homme et une femme puissent avoir, il ne savait pas encore ce que cette fille-là avait dans la tête.

Un moment, en la regardant sortir, vêtue comme d'habitude d'une robe noire, il se demanda si son intention n'était pas de le faire chanter.

Il s'était posé, au début, une question du même genre. Il évitait autant que possible d'avoir des relations sexuelles avec les jeunes filles travaillant dans ses bureaux, sachant que cela finit presque toujours par créer des complications.

Au lendemain de sa première expérience avec Edmonde, il l'avait épiée, s'attendant à ce qu'elle se permît certaines familiarités, ou à ce qu'elle apportât du laisser-aller dans son travail.

C'est tout le contraire qui s'était produit et qui l'avait presque inquiété. Elle restait la même à tel point qu'il s'était demandé si, la veille, il n'avait pas rêvé. Il était impossible de déceler dans son regard, dans son comportement, dans le son de sa voix rien qui rappelle la femelle dont il avait fait grincer les dents de plaisir.

Pendant plusieurs jours, il avait hésité à la toucher, par crainte qu'elle le repousse.

Il y avait un peu plus d'un an de ça et jamais elle ne l'avait appelé autrement que monsieur Lambert, jamais elle n'avait sollicité la moindre faveur.

Le spasme à peine fini, sa jupe rabaissée d'un geste mécanique, elle redevenait d'une seconde à l'autre la secrétaire aux gestes mesurés et efficients, au regard indifférent, qui venait de sortir de son bureau, et seules, pendant quelques minutes, ses narines restaient pincées comme celles de quelqu'un qui s'est trouvé mal tandis qu'on voyait son cœur battre encore à coups précipités sous sa robe.

Il chercha des yeux le chapeau qu'il avait descendu de l'appartement, le mit sur sa tête, traversa lentement le bureau où Edmonde, qui avait repris sa place, ne lui adressa pas un regard.

Ce fut son tour de passer chez son frère penché sur les plans d'un garage.

— Tu as vu Nicole ?

— Oui. Elle ira prendre ma femme.

Avec Marcel non plus il n'était jamais possible de deviner ce qu'il pensait et, aujourd'hui en particulier, cela le mettait en rogne, comme si les gens s'étaient amusés à jouer avec lui au chat et à la souris.

Pour Marcel, cependant, il savait tout au moins ce que son sourire exprimait : une ironie condescendante. Il était tellement intelligent, tellement sûr de lui, tellement au-dessus de ce pauvre idiot de Joseph qui fonçait droit devant lui comme un taureau !

Pauvre Joseph ! Il avait fait des bêtises. Il en ferait d'autres, puisque c'était sa nature. Heureusement qu'il avait auprès de lui un frère pondéré, exempt de passions, pour remettre avec tact les choses en place.

Pourquoi Marcel n'avait-il pas épousé Nicole, nom de Dieu, puisqu'ils allaient si bien ensemble ? Ils auraient pu passer leur vie devant un miroir à admirer le couple supérieur qu'ils formaient. Et peut-être qu'à eux deux ils auraient fait des petits !

— A tout à l'heure.

— A tout à l'heure.

A la porte, il se retourna brusquement pour s'assurer que son frère ne le suivait pas d'un regard moqueur, mais Marcel était penché sur sa planche à dessin, sa cigarette fumant devant lui dans un cendrier de verre.

Il n'y eut qu'un jeune dessinateur de dix-sept ans, aux cheveux trop longs, à sourire comme s'il avait compris.

L'imbécile !

4

Un journaliste devait écrire une fois de plus, le soir, que le ciel s'était mis en deuil. Chez les Lambert, on disait « un temps de Toussaint ». Pourtant, dans ses souvenirs d'enfance, Joseph Lambert revoyait plutôt, à la Toussaint, des nuages bas, poussés par des rafales qui arrachaient les feuilles mortes, les faisaient tourbillonner et les posaient enfin, comme des bateaux-jouets, sur l'eau frisée du canal.

Aujourd'hui, il n'y avait pas de vent. Il ne pleuvait pas. Le ciel était uni, d'un gris clair, comme une calotte de verre dépoli sous laquelle les sons s'étouffaient, et les passants paraissaient plus sombres, plus furtifs que les autres jours, comme si chacun partageait la responsabilité du drame de la veille.

Lambert le fit exprès, au volant de la 2 CV, de passer par le centre et, place de l'Hôtel-de-Ville, il vit les draperies noires à larmes d'argent qu'on achevait de poser autour du portail. Pour se rendre à la ferme Renondeau, il avait le choix entre trois itinéraires au moins, mais il s'obligea à prendre celui qu'il aurait pris en temps normal, c'est-à-dire par le hameau de Saint-Marc et la Grande Côte.

Saint-Marc n'était qu'à trois kilomètres de la ville et, après les jardins potagers séparés les uns des autres par des barbelés, on apercevait, toute seule, avec son mur exposé à l'ouest recouvert d'ardoises, l'épicerie-buvette des Despujols.

Il roulait lentement. C'était une épreuve qu'il imposait à ses nerfs. La mère Despujols, vêtue de noir, courte et ronde, le ventre en avant à la façon des femmes de la campagne, était debout près de sa pompe à essence et faisait le plein d'une voiture. Il la salua de la main, la vit, dans son rétroviseur, qui le suivit des yeux mais ne put savoir si elle l'avait reconnu.

Le plus pénible était de franchir le virage du Château-Roisin, où on avait entouré de barrières les restes tordus et calcinés de l'autocar et où deux gendarmes montaient la garde cependant que trois ou quatre civils aux allures d'experts furetaient parmi les débris.

D'après le journal du matin, plusieurs théories partageaient les ingénieurs. Certains supposaient que les portes, tordues par le choc, n'avaient pas pu être ouvertes, d'autres que le conducteur, qui s'appelait Bertrand, ayant été tué sur le coup, personne n'avait été capable de les manœuvrer. Quant à savoir pourquoi le car avait flambé instantanément, rendant les secours impossibles, c'était une question qui soulevait des controverses d'autant plus âpres qu'elle mettait de gros intérêts en jeu.

Si on ne parlait pas encore d'argent, on annonçait que la compagnie qui assurait l'autocar avait envoyé sur place ses meilleurs agents afin de déterminer, non seulement les causes exactes de l'accident, mais aussi les raisons pour lesquelles celui-ci s'était transformé en catastrophe.

Les dommages-intérêts se chiffreraient par dizaines de millions et peut-être davantage. Si on retrouvait le propriétaire de la traction-avant et si on établissait sa responsabilité, c'était à ses assureurs qu'il incomberait de payer.

Un des gendarmes avec qui Lambert avait été

souvent en rapport le reconnut au passage et lui adressa un signe de la main. Des curieux, venus surtout à vélo, en plus petit nombre que la radio le laissait croire, se tenaient patiemment en dehors des barrières.

Il commença à monter la côte, le visage rouge, le sang à la tête, et il n'avait pas parcouru un kilomètre qu'il apercevait les chèvres sur le bas-côté. Leur propriétaire était là aussi, long et maigre, avec des bras démesurés et des mains en battoirs d'idiot de village.

Il regardait l'auto approcher, immobile, un bâton à la main, et Lambert avait l'impression qu'il n'y prêtait que l'attention qu'il eût accordée à n'importe quelle auto mais qu'il l'avait reconnue. Il ne s'arrêta pas. C'était peut-être le fait de son imagination. Y avait-il vraiment, sur le visage d'habitude inexpressif de l'homme aux chèvres, un sourire sarcastique ? La gendarmerie était-elle déjà venue le questionner, comme elle questionnait tous ceux qui habitaient le long des routes à plusieurs kilomètres à la ronde ?

Il faillit faire demi-tour pour lui parler et en avoir le cœur net. Déjà, la veille, il avait eu l'intuition que c'était de cet homme-là que viendrait le danger.

Il n'avait jamais entendu sa voix. Il ignorait s'il était simple d'esprit ou non. On prétendait qu'il mangeait des corbeaux et des bêtes puantes comme un autre vieux qui, quand Lambert était enfant, dévorait tout ce que les gamins lui apportaient par jeu, y compris les mulots et les limaces.

La côte lui parut longue et il croisa plusieurs gendarmes à motocyclette qui donnaient au paysage une couleur particulière.

Il y en avait deux autres, dont un, le calepin à la main, devant le garage du premier carrefour, près des pompes à essence, et le pompiste roux, que Lambert connaissait pour lui avoir souvent fait faire le plein, répondait aux questions en se grattant la tête.

C'était encore une épreuve. Il devait se comporter naturellement et, en tournant à droite vers la ferme Renondeau, il fit un signe de la main, lança :

— Salut !

Le jeune homme répondit de même. Les gendarmes ne se retournèrent pas. Dans son rétroviseur, Lambert s'assura que le pompiste roux ne le suivait pas des yeux, que sa vue ne lui rappelait pas soudain quelque chose.

C'est ainsi qu'il lui faudrait agir pendant plusieurs jours. Avec Renondeau aussi, qui l'attendait au milieu du chantier où le rectangle de la future grange était dessiné par les coffrages. On l'attendait pour couler le ciment autour des montants métalliques déjà dressés. Il descendit de voiture, serra la main du fermier, se dirigea tout de suite vers le conducteur des travaux et inspecta chacun des coffres. Il avait l'air préoccupé, bourru, qui était ordinairement le sien sur les chantiers. Il regarda le ciel où passait une nuée d'étourneaux.

— On peut y aller, mes enfants !

Côte à côte avec Renondeau, il assista ensuite au remplissage du premier caisson, près de la machine qui faisait un vacarme assourdissant. C'était inutile d'essayer de s'entendre. Le fermier, après un moment, lui désigna la maison et le chai au sommet du pré en pente et on lisait une invitation sur ses lèvres :

— Un coup de blanc ?

Il le suivit dans l'ombre fraîche où les barriques étaient alignées et où Renondeau rinça deux verres épais dans une cuve d'eau.

— A la vôtre, monsieur Lambert.

— A la vôtre, Renondeau.

— Vous n'avez pas amené la petite demoiselle, ce matin ?

Il accompagnait sa question d'un sourire égrillard.

— Pas aujourd'hui, non.

— Un beau brin de fille, dites donc !

— C'est surtout une bonne secrétaire.

L'autre lui reprenait des mains le verre vide pour le remplir au tonneau et Lambert le laissa faire.

— J'ai pensé à vous, hier soir, en entendant la radio. Je me suis dit que, si vous étiez seulement parti un quart d'heure plus tard, vous vous seriez trouvé au Château-Roisin juste au moment de l'accident.

Ce n'était pas un piège, Lambert en était persuadé. Il connaissait assez les paysans pour s'apercevoir quand ils avaient une idée derrière la tête. Et cette phrase-là, innocente en apparence, lui ouvrait des horizons nouveaux.

Il s'était donné du mal, la veille, pour se créer un alibi en laissant croire qu'il n'était pas passé par la Grande Côte mais qu'il avait pris la route du Coudray. Or, le fermier, sans le savoir, venait de lui fournir le meilleur des alibis. S'il avait roulé à une allure normale, en effet, et s'il ne s'était pas arrêté en chemin, il aurait atteint la Grande Côte un quart d'heure environ avant le passage de l'autocar.

— Ce ne devait pas être joli à voir ! poursuivait Renondeau. Je me demande si j'aurais eu le courage de regarder. Enfin !... Un autre ?

— Merci.

— Vous comptez toujours finir le travail avant novembre ?

— Le 1er novembre au plus tard.

— Alors, tout va bien.

Ils se touchèrent la main, Renondeau s'éloigna lentement en direction de l'étable tandis que Lambert retournait vers sa voiture.

Il avait bien fait de ne pas trop répéter qu'il n'était pas passé par la Grande Côte. Si cela devenait indispensable, il y aurait toujours le témoignage de Renondeau, sinon pour le disculper, tout au moins pour brouiller le jeu.

Ce qu'il devait surtout éviter, c'était de s'imaginer d'avance qu'on pensait à lui, car c'est alors qu'il risquait de perdre son sang-froid.

Il roulait à nouveau vers le carrefour, distant d'un peu moins de quatre kilomètres, et le plateau était peu habité, les rares fermes s'élevaient loin de la route, au milieu des champs, une bonne partie des terres appartenait à Renondeau.

A un kilomètre environ, sur la droite, on apercevait un boqueteau et c'était là, en réalité, et non dans la Grande Côte au moment du premier coup de klaxon, comme il l'avait pensé la veille, que la tragédie s'était décidée.

Quand il avait prié Edmonde de l'accompagner, il avait une arrière-pensée, certes, mais elle était encore vague, il ne savait ni où, ni quand cela se passerait. Dans son esprit, ce serait plutôt au retour de la laiterie de Tréfoux, sur le chemin du canal, presque toujours désert et qu'il comptait emprunter.

Edmonde n'avait-elle pas voulu attendre ? Avait-elle agi sans arrière-pensée ? Comme ils atteignaient le boqueteau, elle avait dit, simplement :

— Cela vous ennuierait que je descende un instant ?

Elle n'avait aucune pudeur avec lui. Il la soupçonnait de n'en avoir avec personne. Elle avait poussé la portière, franchi le fossé d'un bond et, sa robe troussée, s'était accroupie à cinq ou six mètres de la route. Il avait hésité à la rejoindre, l'aurait sans doute fait si, un peu plus tôt, ils n'avaient dépassé une charrette de foin qui n'allait pas tarder à les rejoindre.

— Je vous demande pardon, avait-elle murmuré en se rasseyant et en refermant la portière.

Souriant, il avait posé la main sur sa cuisse.

— Maintenant ? avait-il murmuré à son tour.

Ce qui serait impossible à faire admettre, c'est qu'ils n'étaient pas des amoureux, ni des amants, que leurs relations ressemblaient plutôt à un jeu qui avait ses règles, ses signes, ses termes consacrés.

Elle l'avait regardé sans rien dire et il avait compris, à l'immobilité de ses prunelles, que le déclic s'était produit.

Ils entendaient derrière eux les pas des chevaux, le bruit des grandes roues ferrées de la charrette sur le sol. Il avait remis la voiture en marche, au ralenti, conduisant de la main gauche cependant qu'Edmonde se raidissait à son côté.

C'est ainsi qu'ils avait atteint la Grande Côte et qu'ils en avaient commencé la descente. Il conduisait à trente kilomètres à l'heure à peine, attentif, non à la route, mais à des frémissements secrets qui suivaient un rythme déterminé.

S'ils n'étaient pas amoureux l'un de l'autre, s'ils ne s'étaient jamais comportés comme des amoureux, il n'en existait pas moins entre eux une intimité d'une autre sorte qui frisait la complicité.

C'est sur ce plan-là que leurs relations s'étaient établies, dès le premier jour, sans qu'ils le voulussent, par la force des choses. Il y avait de cela un peu plus d'un an et Edmonde ne travaillait alors pour lui que depuis quelques semaines.

A cette époque, il lui trouvait, non un corps de femme, mais le corps insipide d'un énorme bébé et, ce qui le surprenait, c'est qu'avec son regard toujours vide elle se révélât une secrétaire aussi efficace. Il n'était pas loin de penser comme le jeune maçon :

— *Un bestiau !*

Un soir d'août, alors qu'une bonne partie du personnel des bureaux était en vacances et qu'il faisait une chaleur lourde, il était allé se baigner, vers cinq heures, dans la piscine qu'il avait construite

71

pour un camarade à une quinzaine de kilomètres de la ville. On attendait un coup de téléphone de Chalon-sur-Saône.

— Je reste jusqu'à votre retour ? avait-elle demandé au moment où il sortait.

— Cela vaut mieux, oui. D'ailleurs, je serai de retour vers six heures et demie.

Il n'était rentré qu'à sept heures moins dix et, pour couper au court, avait emprunté ce qu'on appelait l'entrée des dessinateurs, qui donnait directement, de la cour, dans le bureau vitré de ceux-ci.

Le silence régnait dans les locaux séparés par des cloisons de verre et, d'abord, il crut qu'il n'y avait plus personne, jusqu'au moment où il avait aperçu sa secrétaire et où il avait reçu un choc.

L'avait-elle entendu venir ? Il était persuadé que non et, maintenant qu'il la connaissait, il savait que cela n'aurait rien changé à son attitude.

Repoussant sa chaise de dactylo, au dossier articulé, elle s'était renversée en arrière et, la robe levée jusqu'au ventre, elle tenait la main entre ses cuisses. Les yeux mi-clos, elle restait tellement immobile qu'il en aurait été inquiet s'il n'avait remarqué un mouvement imperceptible des doigts.

La chaleur de la journée s'était accumulée dans les bureaux et aucune fraîcheur ne pénétrait par les fenêtres ouvertes, seulement une fine poussière qui restait suspendue dans l'air et brillait au soleil.

Pour la première fois, il avait vu les narines d'Edmonde se pincer comme celles d'une morte, sa lèvre supérieure se retrousser en découvrant les dents en une grimace douloureuse qui ne rappelait en rien un sourire.

Son corps s'était tendu enfin, comme pour quelque pénible délivrance, et était resté ainsi longtemps avant de s'affaisser tout à coup en même temps que Lambert devinait un râle.

La tête de la jeune fille s'était laissée aller sur le côté et, quand les paupières s'étaient soulevées, elle l'avait vu, de l'autre côté de la cloison vitrée, n'avait exprimé aucune surprise, n'avait eu aucune réaction. Elle n'était pas encore tout à fait revenue du monde étrange où elle venait de s'échapper, seule, en silence.

Alors, il avait franchi la porte, s'était campé devant elle, la regardant de haut en bas, de bas en haut, et elle avait enfin murmuré :

— Vous étiez là ?

Elle ne cherchait pas à s'excuser. Elle n'avait pas honte, ne rabattait pas sa robe et sa main n'avait pas changé de place. Voyant les doigts bouger à nouveau, il avait prononcé, la voix rauque :

— Vous en voulez encore ?

Le frémissement de la lèvre supérieure avait repris et il avait eu l'impression d'entendre le cœur battre à coups sourds dans la poitrine.

— Levez-vous ! avait-il commandé.

Elle avait obéi, docile, était allée à lui, sans chercher à se blottir, sans chercher ses lèvres.

Dix minutes plus tard, déjà, elle avait repris son attitude de tous les jours et disait d'une voix qui ne gardait aucune trace de ce qui venait de se passer :

— On a téléphoné de Chalon.

C'était lui qui était gêné, peut-être pour la première fois de sa vie, et qui ne savait où poser le regard.

— Les trois wagons ont été chargés ce matin et devraient arriver lundi. Vous recevrez par le courrier de demain matin les feuilles d'expédition.

— Je vous remercie.

— Vous n'avez plus besoin de moi ?

Elle ne disait pas cela par ironie, mais employait sans arrière-pensée la formule consacrée.

— Non. Je vous remercie.

— Bonsoir, monsieur Lambert.

Il avait dû faire un effort pour répondre sur le même ton :

— Bonsoir, mademoiselle Pampin.

Elle avait encore rangé son bureau, était passée aux toilettes pour se remettre de la poudre et du rouge à lèvres. Quelques minutes plus tard, par la fenêtre, il la voyait se diriger vers la rue de la Ferme de sa démarche onduleuse et tranquille.

Par la suite, Marcel devait les surprendre dans la pièce des archives. D'autres aussi, peut-être, qui n'avaient rien dit mais qui échangeaient des clins d'œil derrière leur dos. Il l'avait emmenée plusieurs fois à l'*Hôtel de l'Europe,* où elle l'avait suivi sans protester, mais, chaque fois, aussi bien pour elle que pour lui, cela avait été une déception. Elle ne s'en plaignait pas, ne se cherchait pas d'excuses. Jamais il n'était question de ce qui se passait entre eux et ni l'un ni l'autre ne tentaient de s'expliquer.

En dehors du travail, c'est à peine s'ils échangeaient quelques monosyllabes qui étaient pour eux des repères.

Elle n'avait rien changé à sa vie, à ses habitudes, à sa façon de s'habiller et de se tenir et il n'avait rien changé à son existence non plus, il avait eu, en un an, d'autres aventures rapides qui ne lui avaient procuré aucun plaisir.

Et Marcel qui croyait avoir compris !

Il repassait maintenant par le même chemin que la veille, descendait la Grande Côte à nouveau et, à nouveau, croyait surprendre une expression ironique et cruelle sur les lèvres de l'homme aux chèvres.

Qu'est-ce qu'Edmonde pensait de ce qui était arrivé, de la façon dont il s'était comporté, qu'est-ce qu'elle pensait de lui ? A n'importe qui d'autre, il aurait posé la question. Avec elle, il n'osait pas.

Pourquoi ?

Cela tenait-il à ce que ce qui existait entre eux

74

était sur un autre plan que la vie ordinaire, la vie telle qu'on la conçoit, telle qu'on la fait, telle qu'on la veut ?

C'était un peu comme si, à un moment donné, sans raison apparente, ils échangeaient un signal et s'échappaient tous les deux.

Lui non plus, avec elle, n'avait pas de pudeur. Ils pénétraient dans un domaine différent et ce domaine-là ressemblait davantage au domaine de l'enfance qu'à quelque domaine maudit.

Il se souvenait encore, après si longtemps, avec acuité, d'un mal de dents qu'il avait eu vers sa neuvième année. C'était en été et, à cette époque-là, le tilleul se dressait encore au milieu du chantier. Le dentiste lui avait remis deux comprimés blancs, sans doute un sédatif, et, après le déjeuner, la douleur lui revenant, aiguë, il les avait avalés tous les deux.

— Tu devrais aller t'asseoir dans le jardin et te reposer, lui avait conseillé sa mère.

Il existait, sous le tilleul, une table et trois fauteuils de fer et le gamin s'était installé dans un des fauteuils, les jambes sur un autre, tandis que le feuillage, au-dessus de sa tête, bourdonnant de mouches, laissait filtrer les rayons de soleil.

Les yeux mi-clos, il voyait miroiter l'eau du canal et, juste en face de lui, sur l'autre rive, un vieux retraité, mort depuis, qui, assis sur un pliant, pêchait à la ligne. Il portait un panama et fumait une longue pipe courbe qui pendait sur sa poitrine.

Ce qui s'était passé alors en lui, il aurait été incapable de le décrire et, s'il avait essayé souvent, même adulte, de provoquer le même phénomène, il n'y était jamais parvenu.

Etait-ce la chaleur, l'engourdissement d'après le repas ou l'effet des comprimés ? Il continuait à sentir la douleur dans sa joue gauche mais elle ne méritait plus le nom de douleur, transformée en plaisir, en une sorte de volupté, la première, en somme, qu'il eût connue.

D'un point déterminé, ultra-sensible, peut-être le nerf de la dent malade, des vagues s'irradiaient, à la façon du son des cloches dans l'air, gagnaient toute la joue, son œil, sa tempe, pour aller mourir dans sa nuque.

Ces vagues-là, il les sentait naître et, petit à petit, apprenait à les provoquer, à les diriger comme une musique. Le feuillage du tilleul, au-dessus de lui, avec ses ombres et ses lumières, le léger balancement des branches, le vol des mouches, participait à la symphonie au même titre que la vie secrète du canal, sa respiration, les reflets qui s'étiraient au ralenti, le flotteur rouge, au bout de la ligne du pêcheur, et la tache du chapeau de paille dans l'ombre.

Chez le maréchal-ferrant, dont Lambert-le-Vieux n'avait pas encore racheté la forge, le marteau frappait l'enclume à une cadence paresseuse et, dans une cour, des poules caquetaient.

Tout cela se passait dans un monde merveilleux qui lui rappelait quelque chose, il s'efforçait en vain de savoir quoi, et d'où l'avait arraché la voix de sa mère.

— Joseph ! Tu es en plein soleil !

Le soleil, poursuivant sa course dans le ciel, avait en effet fini par atteindre sa retraite sous le tilleul.

— Tu ferais mieux de rentrer, maintenant.

Il s'était levé, engourdi, hébété, et il en avait longtemps voulu à sa mère.

C'est à cause de cette expérience-là, qu'il n'avait jamais été capable de renouveler, qu'il ne jugeait pas sévèrement son frère Fernand. Quel moyen celui-ci avait-il trouvé pour s'échapper ? Il l'ignorait mais il était persuadé que Fernand en avait un et passait une bonne partie du temps loin de la terre.

Il n'avait rien dit de cela à Edmonde. Il soupçonnait qu'elle ignorait elle-même ce qu'elle faisait. En tout cas, elle ne croyait pas que c'était mal, sinon elle aurait réagi autrement quand il l'avait surprise, et bien d'autres fois par la suite.

C'était à lui qu'il arrivait d'avoir des doutes et de se sentir gêné, alors qu'il n'avait jamais, de sa vie, raté une occasion de renverser une fille sur un lit ou dans l'herbe.

Avec les autres, il pouvait rire et même parler de ce qu'ils étaient occupés à faire.

Avec Edmonde, il n'osait pas, l'idée ne lui en venait pas. Et pourtant, il n'y avait aucune communion entre eux. Ils ne la cherchaient pas. C'était plutôt une complicité tacite.

Jusqu'au moment où, la veille, il avait entendu le hurlement effrayé du klaxon et avait découvert dans son rétroviseur l'énorme machine qui dévalait la pente...

Avait-il eu réellement la conviction qu'il était coupable ? Il ne savait plus. Il avait regardé Edmonde qui n'avait pas bronché et qui, le soir, en se promenant bras dessus bras dessous avec sa mère sur la Grand-Place, était aussi innocente que quand elle prenait la dictée.

Etait-ce elle qui avait raison ? Il lui en voulait et l'enviait, décidait soudain de refaire de bout en bout le même chemin que la veille. Il gardait assez de présence d'esprit, restait assez astucieux pour se dire que, quand on les questionnerait, dans un jour ou deux, les paysans qui pourraient l'avoir reconnu confondraient les dates.

Il gagna la laiterie par la route du Coudray, trouva Nicolas affairé, passa un quart d'heure avec lui sans apercevoir Bessières.

— Il vient de partir pour l'Hôtel de Ville, lui apprit Nicolas. Il m'a dit que c'est cet après-midi, à quatre heures, qu'on transporte les corps à la gare. Ma femme et ma belle-fille y seront sûrement. Les administrations et les banques ont donné congé à leur personnel.

— Tu veux y aller aussi ?

— Moi pas, monsieur Lambert. J'ai assez de mes propres tracas !

La place de l'Hôtel-de-Ville, à midi, était encore plus animée que la veille au soir et une longue queue s'était formée sur le trottoir devant l'entrée de la chapelle ardente. Mais, au *Café Riche* et dans les autres cafés des environs, les consommateurs étaient clairsemés, comme si les gens avaient honte d'être vus ce jour-là en train de boire.

— Demandez l'*Eclair*... Edition Spéciale...

Il y avait toujours foule en face des bureaux du journal et Lambert arrêta sa voiture pour acheter une des feuilles fraîchement imprimées.

Quand il rentra chez lui, les bureaux étaient fermés, des ouvriers, dans le chantier, assis à l'ombre, cassaient la croûte tandis que les Nord-Africains en faisaient autant sous les arbres au bord du canal et que quelques-uns dormaient, étendus de tout leur long dans la poussière.

— Je vous sers tout de suite ? vint lui demander Angèle. Madame a téléphoné qu'elle ne rentrerait pas avant cinq ou six heures.

Cela signifiait que Nicole accompagnerait le cortège funèbre jusqu'à la gare. Peut-être, après tout, était-ce aussi une façon de s'échapper ? Il ne lui en avait jamais voulu vraiment. Elle l'irritait parfois, l'exaspérait même, surtout à cause de l'opinion qu'elle avait d'elle et à cause de son manque d'indulgence.

Etait-elle si sûre d'elle qu'elle voulait le paraître ? Marcel était-il réellement sûr de lui ?

Il lui arrivait d'en douter. Cela pouvait être un masque, ou, qui sait, une pudeur ?

Est-ce que, quand lui-même entrait quelque part, avec ses larges épaules, sa face épaisse, sa voix tonnante, son air d'être prêt à tout casser, les gens ne se figuraient pas qu'il avait en lui une confiance agressive ?

Il mangeait, tout en parcourant le journal qu'il avait déployé devant lui et qui était en partie celui du matin, sauf où l'ordre des pages avait été changé afin de placer les dernières informations en vedette.

« *Bon espoir de sauver Lucienne Gorre.* »

Ce nom-là, hier inconnu, devenait familier à toute la France qui se passionnait pour la santé de la petite rescapée.

Lambert, lui aussi, souhaitait que la gamine se rétablisse et il y avait plus de mérite que les autres car, pour lui, cela pouvait marquer le commencement de la débâcle. Cela dépendait de la place qu'elle occupait dans le car au moment de l'accident. Il se souvenait seulement de visages d'enfants, fillettes et garçons, pressés contre les vitres.

Il n'était pas probable qu'elle eût noté, ou seulement regardé, le numéro de la voiture, mais elle l'avait peut-être vu, lui, et surtout elle avait peut-être vu Edmonde.

Jusqu'à présent on ne parlait que d'une traction-avant qu'on supposait conduite par un homme ivre. Le champ des recherches était vaste. Qu'on apprenne qu'il y avait une autre personne, une jeune femme, à l'avant de l'auto, et la menace se préciserait, même Renondeau ne manquerait pas d'établir un rapprochement.

« *La police, qui a dressé une liste de toutes les tractions-avant immatriculées dans la région, a commencé, de concert avec la gendarmerie, à questionner les habitants dans un rayon qui, d'heure en heure, va en s'élargissant.* »

Il se demanda avec inquiétude pourquoi on précisait « *dans la région* ». Possédait-on des témoignages ou des indices qu'on cachait au public ? Une voiture de n'importe quel département, venant aussi bien de Paris que d'ailleurs, n'aurait-elle pas pu se trouver dans la Grande Côte au moment de l'accident ?

Il trouva, plus bas, l'explication.

« *De trois à six heures, dans l'après-midi d'hier, une patrouille de gardes mobiles a, comme c'est la routine, établi une trappe sur la route au virage de Boildieu, non loin du pont de Marpou, à quatorze kilomètres au nord de la Grande Côte.*

Ainsi, on a une idée assez exacte du nombre et de la marque des voitures qui se sont dirigées vers Château-Roisin à l'heure de la catastrophe.

Or, aucune traction-avant ne figure sur la liste, ce qui indique que le chauffard ne venait pas de loin et ceci incline à penser qu'il appartient à la région. »

Il se leva, mal à l'aise, car c'était une menace directe et il aurait préféré que Renondeau ne lise pas l'article.

— Vous ne mangez plus ?

Il faillit répondre qu'il n'avait pas faim, mais il n'avait pas envie d'éveiller par surcroît des soupçons dans sa propre maison.

— Qu'y a-t-il comme dessert ?

— Des pêches et des poires.

— Servez. Vous pouvez m'apporter le café.

— J'ai demandé à Madame la permission d'aller cet après-midi...

Il avait compris.

— Mais oui.

— Vous n'y allez pas, vous ?

— J'essaierai.

— Les banques ont donné congé à leur personnel.

— Je sais ! répliqua-t-il, excédé.

Il avait eu tort de fuir, soit, et, à présent, il était trop tard, personne ne lui pardonnerait. Fallait-il se rendre, s'exposer à la fureur populaire, devenir d'une minute à l'autre un objet de haine et de mépris ?

Cela signifierait l'écroulement, non seulement pour lui, mais pour tous ceux qui dépendaient de lui. Autant fermer tout de suite les portes des chantiers et déclarer l'entreprise en faillite.

Il était persuadé que Marcel lui-même, s'il agissait de la sorte, l'en blâmerait comme d'une lâcheté car cela entraînerait sa propre ruine.

Et Nicole ? Il essayait de deviner ce que Nicole lui conseillerait de faire et il lui semblait entendre sa voix lui répondre :

— *Pourquoi ne vas-tu pas demander avis à un confesseur, au père Barbe, par exemple ?*

C'était son confesseur à elle, un dominicain qui était aussi le directeur de conscience des trois autres sœurs Fabre et qui, par le fait, devait entendre parler de lui. Il était bel homme et la robe blanche soulignait sa prestance ; il ne manquait jamais, quand il croisait Lambert dans la rue, de le saluer, et celui-ci lui rendait la politesse.

Il n'avait rien contre le père Barbe, ni contre la religion dans laquelle il avait été élevé, et il avait été longtemps enfant de chœur. S'en remettre au dominicain n'en était pas moins la solution facile, tout comme, à présent, il lui serait apparu comme une lâcheté de se rendre.

N'était-il pas plus pénible de tenir bon, de se taire, sans aide, sans réconfort extérieur, et de s'efforcer d'éviter les pièges tendus ?

Les enfants, il les aimait autant que n'importe qui et, toute sa vie, il serait hanté par le souvenir des traits crispés du conducteur, par les visages insouciants des garçons et des filles derrière les vitres.

Toute sa vie, il croirait entendre les cris qu'ils avaient poussés dans la fournaise et qu'il avait fuis, mais dont les journaux parlaient sans retenue tout comme les bonnes âmes qu'il rencontrait.

Demain, ce soir, la ville reprendrait son aspect normal. Le train emmènerait tout à l'heure les cercueils vers Paris. Dans quelques jours, on viendrait enlever la carcasse du car qui avait défoncé le mur du Château-Roisin.

La police, la gendarmerie continueraient leurs recherches. La petite Lucienne Gorre, si elle en réchappait, retournerait à Paris avec son père.

Les gens, petit à petit, oublieraient, mais pas lui, et le souvenir de deux ou trois minutes, même pas, de quelques secondes, ternirait toute son existence.

Il n'avait pas la consolation de trouver un reflet de ses angoisses dans les yeux d'Edmonde, sur qui la catastrophe paraissait n'avoir laissé aucune trace.

Pour le moment, il n'avait pas non plus la ressource de boire, par crainte de se trahir. Il était obligé de contrôler ses gestes, sa voix, ses expressions de physionomie. Et, s'il espérait s'en tirer en inventant quelque voyage d'affaires, ce serait sans doute le meilleur moyen d'éveiller les soupçons.

Il alla se jeter sur son lit, avec l'idée de faire la sieste, ce qui ne lui était pas arrivé depuis les vacances passées avec sa femme à Saint-Tropez. Contrairement à ce qu'il avait prévu, il s'endormit presque tout de suite, ne s'éveilla qu'en entendant la porte s'ouvrir, se mit sur son séant, fut surpris de voir son frère devant lui, et Marcel paraissait aussi surpris que lui.

— Je t'ai cherché partout.

— Quelle heure est-il ?

— Trois heures et quart. J'ai vu ta voiture en bas mais, ne te trouvant nulle part, j'ai pensé que tu étais allé en ville à pied.

— J'ai fait la sieste.

— Je voulais te demander ton avis. J'ai fini par prendre seul la décision et par donner congé au personnel des bureaux. La plupart des établissements...

— Je sais.

— Pour les ouvriers, c'était impossible, à la dernière minute...

— Oui.

Il s'était levé, courbaturé, et se dirigeait vers la salle de bains afin de se passer le visage à l'eau fraîche.

— Je n'ai pas vu Angèle dans la cuisine...

— Elle est là-bas aussi.

— Tu n'y vas pas ?

Il ne répondit pas.

— Le cortège quitte la mairie à quatre heures.

Il s'essuyait la figure et Marcel ne partait toujours pas.

— Joseph ! prononça-t-il après une hésitation.

— Oui.

Il sentit que c'était la plus grosse partie qu'il allait jouer et, contre son attente, se sentit de taille à la gagner. Le danger immédiat lui rendait son calme, la possession de son sang-froid, peut-être parce qu'il affrontait Marcel.

— Eh bien ? J'écoute.

— Regarde-moi.

— Volontiers.

Il le regarda en face, la serviette-éponge toujours à la main.

— C'est toi ?

— Non.

Il le dit avec une telle conviction et une telle simplicité qu'il vit son frère changer d'expression, ses traits se détendre.

— Tu te rends compte que c'est grave, n'est-ce pas ?

— Il serait difficile de ne pas s'en rendre compte.

— Tu es sûr que tu me dis la vérité ?

— Tout à fait sûr. Tu peux aller en paix rejoindre le cortège.

— Et toi ?

— Non.

— Pourquoi ?

— Parce que j'ai été assez sonné comme ça.

Une dernière fois, Marcel plongea son regard dans le sien et, comme à regret, murmura avant de s'éloigner :

— Je te crois.

A la porte, il s'arrêta, se retourna.

— J'espère que tu ne m'en veux pas d'avoir pensé ça ?

— Mais non.

Lambert eut l'audace d'ajouter :

— Cela aurait parfaitement pu m'arriver.

Il n'avait jamais aussi bien menti de sa vie et, jamais non plus, un mensonge ne lui avait tant coûté. Il entendit les pas de son frère dans l'escalier, des portes qui s'ouvraient et se refermaient, enfin le bruit d'un moteur qu'on met en marche.

Il était seul dans l'immeuble. Au fond du chantier, la scie métallique vrombissait et, dehors, les Nord-Africains se suivaient toujours en file indienne sur les planches qui reliaient la péniche à la terre.

Edmonde devait être partie aussi, comme les autres. Elle avait bien fait.

Il resta longtemps le front collé à la vitre, regardant vaguement le défilé des débardeurs, puis il porta une cigarette à ses lèvres. Au moment de l'allumer, une sorte de trop-plein lui monta de la poitrine dans la gorge et il éclata en sanglots, toujours debout, les bras ballants, à regarder le canal que l'eau de ses yeux déformait.

Il était seul et n'avait pas besoin de se cacher le visage.

5

Quand à sept heures, il entra au *Café Riche*, on aurait dit que la foule avait épuisé ses réserves d'émotion. Après seulement vingt-quatre heures d'apitoiement presque continu, après surtout la solennité de la cérémonie à la gare, les gens, harassés, la tête vide, avaient hâte de rentrer chez eux pour retrouver leurs petits tracas de tous les jours.

Les rues, la place de l'Hôtel-de-Ville, où on avait déjà décroché les draperies, étaient presque vides. Cinq ou six personnes au plus stationnaient devant les bureaux du journal pour lire le dernier bulletin de santé de Lucienne Gorre dont l'état restait satisfaisant.

Au café, la plupart des habitués étaient à leur place, encore hésitants, mais Théo, le garçon, leur apportait d'autorité les tapis rouges et les cartes comme pour marquer la reprise de la vie normale.

A la première table aussi le tapis était mis et on n'attendait que Lambert pour faire le quatrième. Lescure était là, avec Nédelec, le marchand de grains, et Capel, le professeur d'histoire.

— Tu y es allé ? lui demanda Lescure quand il s'assit à sa place sur la banquette.

Ils étaient les deux seuls à se tutoyer, à cause de leurs années de lycée.

— Non.

— Moi non plus. Il paraît que la municipalité, pour une fois, a bien fait les choses.

On ne voyait pas Weisberg, moins régulier que les autres. Il lui arrivait de ne venir, vers la fin, que pour une manche, quand un des joueurs devait partir.

— On joue ?

Ils tirèrent au sort. Capel était le type de joueur qui, les cartes en main, ne pensait à rien d'autre et que toute interruption irritait. Célibataire, il vivait dans une pension de famille et se plaignait sans cesse de la nourriture.

— Je suppose, remarqua Nédelec, que nous en avons pour quelques jours à ne pas compter sur notre ami Benezech.

— Surtout maintenant que le jeune Chevalier est arrivé ! fit Lescure qui battait les cartes.

Les lampes étaient allumées. A la table du boucher, en face, les joueurs de belote étaient au complet, avec, comme toujours, en plus, quelques spectateurs.

— Il est vrai que vous ne savez pas qui est Chevalier. Il faut être dans les assurances pour le connaître, car on ne parle guère de lui dans les journaux.

— Qu'est-ce qu'il fait ?

— C'est une sorte de super-flic qui est passé par la plupart des grandes écoles après avoir décroché son bachot à quinze ans. Il est inspecteur pour la compagnie qui assure l'autocar. Je l'ai aperçu tout à l'heure, alors qu'il entrait à l'*Hôtel de France*, et les gens doivent le prendre pour un étudiant, bien qu'il ait probablement dépassé la trentaine.

» Il n'ira pas voir Benezech, mais celui-ci sait sûrement qu'il est ici. Chevalier a pour règle de ne pas prendre contact avec les officiels. Il ne voit pas non plus les experts, mène son enquête à sa façon, seul, qu'il s'agisse d'un vol de bijoux, d'un suicide douteux ou d'un accident comme celui d'hier. Peu lui importe d'y passer des semaines ou des mois et peu importe à la compagnie.

— Un trèfle.

— Passe.

— Un pique.

— Passe.

— Deux cœurs.

— Passe.

— Trois sans-atout.

Capel les jouait et Lescure faisait le mort, enchaînant :

— Ce matin, j'ai reçu un coup de téléphone affolé de ma direction de Paris. Ils ont la frousse et je les comprends. Ils voulaient connaître le nombre de tractions-avant que j'ai assurées dans la région.

— Combien ?

— Vingt-trois, y compris celle de Lambert et celle de Benezech, mais sans parler des taxis qui ont une police spéciale.

Lambert avait joué sa carte sans broncher malgré la phrase de l'assureur qui l'avait frappé.

— De quoi ont-ils peur ? questionna-t-il.

— Tu ne comprends pas ? Qu'on découvre demain le type qui a provoqué l'accident et que ce soit un de nos clients, cela peut nous coûter des centaines de millions.

— Des centaines de millions ! s'exclama Nédelec.

— Voilà deux mois à peine, la Cour de Riom a accordé quinze millions de dommages-intérêts à la veuve d'un garde-barrière tué par un camion au moment où il fermait son passage à niveau. Multipliez par les quarante-huit victimes. Ajoutez le chauffeur et les deux monitrices. C'est un coup à flanquer une compagnie par terre.

— A vous de jouer, Lambert, grommela Capel. On parle beaucoup, ici, ce soir.

— Pardon. Qu'est-ce qui est demandé ?

— Du cœur.

Ils abattirent quelques cartes en silence.

— C'est pour cela que les autres ont envoyé Chevalier, reprit malgré lui Lescure, soucieux.

Lambert risqua :

— Pour établir, dès maintenant, que la responsabilité de l'accident incombe au conducteur de la traction ?

— Pour essayer, en tout cas.

— De sorte que, si on le retrouve, ce sera la bagarre entre les deux compagnies ?

— C'est probable.

— Et chacun essayera de prouver la responsabilité de l'autre partie ?

C'était si évident aux yeux de Lescure qu'il se contenta de hausser les épaules.

— Et si on ne le retrouve pas ? insistait Lambert.

— L'affaire, de toutes façons, ira devant les tribunaux et il y en a pour deux ans au moins, peut-être davantage.

— Vous ne trouvez pas, messieurs, que l'on s'occupe beaucoup plus d'assurances que de bridge ?

Capel, qui avait raté ses trois sans-atout d'une levée, était de mauvais poil.

— A qui de donner ?

— A celui qui le demande, comme d'habitude.

Lambert continuait de jouer, mais le discours de Lescure le préoccupait plus que ses cartes et, tout à l'heure, il avait dû faire un effort pour ne pas laisser éclater son indignation, lancer, comme cela lui arrivait périodiquement, un sonore :

— Tas de salauds !

Pour eux, il ne s'agissait plus d'enfants morts, d'une petite fille qui resterait peut-être infirme toute sa vie, mais d'un certain nombre de millions. La question n'était pas de découvrir le responsable au nom de la justice, mais de savoir qui paierait.

Un inspecteur, leur fameux Chevalier, déjà sur place, avait soin de ne pas prendre contact avec les officiels afin de se garder les mains libres.

Une question lui brûlait les lèvres, qu'il parvint à ne pas poser.

— *En somme*, avait-il envie de demander à Lescure, *en supposant que le conducteur de la traction vienne te trouver et avoue avoir causé l'accident par son imprudence...*

Lescure, il en était persuadé, était un honnête homme, mais il appartenait depuis trente ans à la compagnie et dépendait d'elle.

— *Que se passe-t-il à ce moment-là ? C'est un de tes assurés et, s'il va raconter sa petite histoire à Benezech, cela risque, comme tu viens de le dire, de vous coûter des centaines de millions...*

Les grands manitous de la compagnie, à Paris, étaient vraisemblablement, eux aussi, ce que l'on appelle des honnêtes gens.

Il sourit soudain, ce qui ne lui était pas arrivé depuis vingt-quatre heures, d'un sourire amer et cruel à la fois. Il imaginait le coup de téléphone angoissé de Lescure à ses chefs. Ou plutôt non : il ne téléphonerait pas, car l'affaire était trop importante pour courir le risque d'une indiscrétion.

Il supplierait sans doute son interlocuteur de ne rien dire pendant un jour ou deux et prendrait le premier train pour Paris.

Ensuite ?

Lambert était dans un état d'esprit où il aurait aimé, par curiosité, tenter l'expérience.

— Pique demandé, Lambert.

— Pardon.

La compagnie le prierait-elle à son tour de se taire et irait-elle jusqu'à envoyer un de ses propres inspecteurs, un as aussi, dans les jambes de Chevalier afin de brouiller les pistes ?

Peut-être pas. Il ne pouvait évidemment pas savoir. Lui demanderait-on de ne pas mentionner sa passagère et de taire ce qui se passait entre eux au moment de l'accident ?

— Pourquoi avez-vous joué votre roi sur mon as, Lescure ?

Celui-ci était distrait et Capel devenait nerveux. Le boucher, en face, qui en était à son quatrième ou cinquième apéritif, parlait de plus en plus fort et frappait la table du poing.

Si Lambert était venu au *Café Riche*, c'est parce qu'il n'avait pas été capable de rester plus longtemps dans la maison vide. A certain moment, il s'était versé un grand verre de cognac et, après l'avoir bu, avait tendu la main vers la bouteille pour s'en servir un autre, n'avait résisté qu'à la dernière seconde.

Jamais il n'avait eu tant envie de se saouler.

Nicole rentrerait tard. Angèle, tout en noir, gantée de noir, une voilette sur le visage, était rentrée à six heures moins le quart avec la mine qu'elle avait le dimanche en revenant de la messe.

— Vous avez eu tort de ne pas y aller.

Elle avait ajouté, en extase :

— C'était si beau, si émouvant ! Avec les enfants des patronages et les boy-scouts qui faisaient la haie devant la gare...

Tout à l'heure, il rentrerait chez lui, dînerait avec sa femme puis, comme ce n'était pas un des jours de sortie du ménage, passerait la soirée dans le salon.

Cette perspective lui donnait, maintenant encore, le désir de boire et il enrageait d'être incapable de le faire sans trop parler. Prudent, il n'avait pris qu'un seul apéritif au *Café Riche* et était décidé à s'en tenir là.

Il se faisait l'effet, sur sa banquette, d'une sorte d'exilé et il se prenait à haïr ces têtes plus ou moins colorées, plus ou moins difformes qu'il avait chaque jour devant les yeux, ces dos ronds ou creux, ces voix dont la sonorité changeait avec l'heure. Capel surtout, sans raison, l'irritait, et il lui trouva une tête de rat.

Des consommateurs entraient et sortaient, qu'il connaissait pour la plupart et qu'il saluait de la main ou d'un grognement. Un de ses clients vint lui parler à mi-voix d'un toit à réparer et, pour faire enrager le professeur d'histoire qui en avait des tics nerveux, il fit durer la conversation le plus longtemps possible.

C'est à ce moment-là qu'une jeune femme entra, dont le parfum atteignit leur table au passage, et il la connaissait aussi. Elle s'appelait Léa. Il n'était pas le seul dans le café à la connaître intimement. La différence entre lui et les autres, c'est qu'eux ne l'avouaient pas.

Elle n'avait rien de commun avec les filles, comme celle à la dent en or qu'on rencontrait chez Victor, encore moins avec celles qui rôdaient la nuit aux alentours de l'Hôtel de Ville. Ce n'était pas non plus le genre des entraîneuses du *Moulin Bleu*, la boîte de nuit à l'éclairage lunaire qui s'était ouverte six mois plus tôt et où on ne voyait jamais que deux ou trois clients honteux.

Il y en avait eu d'autres, avant elle, une bonne dizaine en tout, si Lambert comptait bien, qui avaient fréquenté le *Café Riche* avec l'assentiment du patron et l'autorisation tacite de Benezech. Elles passaient quelques semaines ou quelques mois dans la ville, disparaissaient un beau jour sans qu'on sût si elles avaient été enlevées par un voyageur de passage ou si elles ne gagnaient pas assez leur vie.

Léa tenait le coup depuis un an. Appétissante et gaie, grassouillette, portant des toilettes discrète-ment suggestives, elle faisait davantage penser à une femme entretenue qu'à une professionnelle.

Deux ou trois fois — trois fois exactement — Lambert l'avait emmenée, les deux dernières fois devant tout le monde, allant s'asseoir à sa table après le bridge et sortant ensuite en sa compagnie. Les autres devaient s'y prendre différemment, lui adresser un signe en passant devant elle pour aller aux toilettes et la rejoindre ensuite dehors.

— Messieurs, je vous demande en grâce de faire attention au jeu, insista le pauvre Capel. J'ai dit quatre sans-atout.

Il regardait fixement Lescure, son partenaire, avec la crainte que celui-ci ne comprenne pas, voulant évidemment aller au petit schelem ou au grand.

— Passe, soupirait Lambert.

— Cinq trèfles, balbutiait l'assureur, qui ne devait pas avoir grand-chose en main.

— Passe.

— Cinq sans-atout.

Lescure haussa les épaules en homme qui ne sait plus que faire.

— Six trèfles, finit-il par gémir, résigné. C'est vous qui l'aurez voulu.

Pendant ce temps-là, Lambert avait pris une décision. Il ne passerait pas la soirée à regarder tricoter sa femme, ni à écouter la radio ou à lire les journaux encore pleins de la catastrophe. Il la passerait avec Léa, non qu'il eût envie de coucher avec elle, mais parce qu'il éprouvait le besoin d'une présence comme la sienne, d'une partenaire qui ne comptait pas, avec qui il pourrait se détendre.

— Vous jouez ?

— Oui.

Cette envie-là lui était venue souvent, même devant une fille de la rue.

— Je fais l'impasse, bien entendu. Le valet de carreau est ici ? Dans ce cas, je coupe l'as de cœur, je joue trèfle maître, encore trèfle et voilà !

Capel abattait ses cartes et repoussait un peu sa chaise pour se donner de l'air car, non seulement il avait réussi le petit schelem, mais il avait fait le grand, et il s'en prenait maintenant à Lescure qui ne l'avait pas soutenu jusqu'au bout.

Comme, au tour suivant, il faisait le mort, Lambert se leva en murmurant :

— Vous permettez, messieurs ?

Il s'éloigna, non vers la porte des toilettes, mais vers la table où, devant un porto, Léa le regardait en souriant s'approcher, se reculant déjà sur la banquette pour lui laisser de la place.

— Comment ça va ? questionna-t-elle, la main tendue.

Il la serra machinalement, s'assit, regarda de loin ses compagnons qui louchaient dans sa direction.

— Tu es libre, ce soir ?

— Vous savez bien que je suis toujours libre.

— Bon. Où as-tu envie de dîner ?

Elle hésita une seconde.

— A la *Tonne d'Or* ? proposa-t-elle.

Si le restaurant de l'*Hôtel de France* était le plus chic de la ville, la *Tonne d'Or,* presque en sous-sol dans une ruelle près du marché, était celui où on mangeait le mieux, et aussi le plus cher.

— Ça va ! Il n'y a pas trop de monde, dit-il. Voilà ce que tu vas faire. Moi, je suis obligé de rentrer dîner à la maison. Tu mangeras là-bas et je te rejoindrai dès que je pourrai.

— Vous ne me poserez pas un lapin, dites ?

Il haussa les épaules.

— Votre femme ne vous permet pas de dîner en ville ?

A cause de ce mot-là, il faillit renoncer à son projet.

— Fais ce que je te dis et ne t'inquiète pas du reste.

Après quoi il se leva et rejoignit les autres.

— C'est à toi de donner, fit Lescure en lui tendant le paquet de cartes. Tu vois le client qui vient de s'asseoir à la table près de la caisse ?

Il se retourna, aperçut un homme jeune et

maigre, qui devait être facilement arrogant, une sorte de super-Marcel, qui donnait sa commande au garçon.

— Alors ?

— C'est lui, Chevalier.

— Et après ?

— Rien. Je te le montre parce que j'en ai parlé tout à l'heure. Je suis persuadé qu'il n'est même pas allé jeter un coup d'œil au Château-Roisin. Cela ne l'intéresse pas. Par contre, avant demain soir, il connaîtra toute la ville aussi bien que nous.

— J'ai dit sans atout, prononçait Capel en détachant les syllabes et en les regardant férocement.

Cela dura ainsi jusqu'à huit heures et quart et le professeur fut le grand gagnant. Les quatre hommes se touchèrent la main comme des gens qui se voient souvent, et, un peu plus tard, Lambert s'éloignait au volant de la 2 cv.

La présence du jeune inspecteur au *Café Riche* l'avait troublé, à la fin, et il avait parlé plus fort, éprouvant le besoin de crâner, comme pour attirer l'attention sur lui. Il se promettait de se contrôler davantage et d'éviter ces enfantillages. C'était indispensable.

Sa femme était rentrée et avait laissé la traction-avant au bord du trottoir. Quand il pénétra dans le salon, Nicole s'y trouvait, fatiguée, les traits tirés, mettant de l'ordre dans les magazines.

— Je t'ai fait attendre ?

— Il n'y a que quelques minutes que le dîner est prêt. On peut servir ?

Elle alla prévenir Angèle, revint au salon.

— Tu as fait ton bridge ?

— Oui.

— Tu sors, ce soir ?

Pourquoi se chercha-t-il une excuse ? D'habitude, il ne rendait pas compte de ses faits et gestes et, quand il avait envie de sortir, il le faisait sans dire où il allait.

— J'ai rendez-vous en ville avec un client.

Elle ne lui demanda pas lequel. Elle savait qu'il mentait et elle n'en laissait rien voir.

— Comment va ta sœur ? questionna-t-il à son tour.

— Elle est tout à fait remise. Seulement, la petite a l'air de commencer la rougeole. Ce n'est pas de chance, juste avant la rentrée des classes. Jussieu doit aller la voir ce soir. Si elle l'a, son frère y passera...

Nicole ne parla ni de la chapelle ardente à l'Hôtel de Ville, ni de la cérémonie à la gare. Il y avait ainsi certains domaines dont il était exclu. Elle paraissait tenir pour acquis que cela ne l'intéressait pas, ou qu'il n'était pas digne de s'y intéresser ; c'était le cas, par exemple, des œuvres dont elle s'occupait, des comités, de tout ce qui touchait à la vie religieuse aussi, bien entendu.

— Marcel m'a dit que vous aviez donné congé au personnel.

Qu'est-ce que Marcel lui avait dit d'autre ? Lui avait-il parlé de ses soupçons et de leur conversation dans la salle de bains ?

Pourquoi Lambert se préoccupait-il de ce qu'on pouvait dire ou ne pas dire ? Il avait hâte de se retrouver dehors, d'échapper à l'atmosphère de la maison où, au fond, depuis qu'on l'avait transformée, depuis qu'elle n'était plus la maison de ses parents, il ne se sentait pas chez lui. Tout était trop net, trop clair, trop propre, d'une propreté agressive qui n'était pas la bonne vieille propreté de sa mère. C'était la maison de Nicole, l'ordre, la propreté de Nicole.

Etait-ce vrai ? Ce n'était pas sûr. N'avait-il pas fait les plans de l'appartement et n'avait-il pas toujours rêvé d'une maison de ce genre-là ?

Peut-être seulement sa femme prenait-elle la chose trop au sérieux, y attachait-elle trop d'importance.

Elle-même, dès qu'elle en avait l'occasion, s'échappait pour aller se retremper dans le désordre, chez Jeanne, où chacun se servait à sa guise et où on mangeait dans la cuisine.

— Tu ne prends pas de dessert ?

— Non.

— Tu rentreras tard ?

— C'est probable. Je ne sais pas.

— N'oublie pas de remettre la voiture au garage.

Pourquoi ajoutait-elle ça ? Avait-elle une arrière-pensée ? La veille, il avait laissé la traction-avant dehors pour la nuit et ce n'était pas la première fois que cela arrivait.

Il eut beau l'observer, il lui fut impossible de savoir si elle avait parlé avec intention.

— Bonsoir.

— Bonsoir, Joseph.

Il sentait toujours, dans la façon dont elle prononçait son prénom, quelque chose de protecteur qui le hérissait. Elle lui donnait sa bénédiction, en somme, ou plutôt, d'avance, son absolution, car elle savait qu'il allait faire des bêtises, mais elle savait aussi que c'était dans sa nature et qu'il était incapable d'agir autrement.

Voilà ce que signifiait son onctueux :

— *Bonsoir, Joseph.*

Il avait besoin, lui, de se retrouver devant son volant et de parcourir plusieurs rues dans l'obscurité avant de se sentir à nouveau lui-même, un homme, pas un enfant, pas un être faible ou malade qu'une femme se doit de protéger.

Il rangea sa voiture au coin de la ruelle à sens unique où on ne voyait, à travers des rideaux à carreaux rouges, que les lumières de la *Tonne d'Or*. Il poussa la porte, aussitôt enveloppé d'une chaude odeur de cuisine, et Fred, le patron, en tablier et toque blancs, vint au-devant de lui pour lui serrer la main.

— Quelle bonne surprise, monsieur Lambert !

Il savait pourtant par Léa qu'il allait arriver et, en dehors d'une table occupée par quatre Suisses, deux hommes et deux femmes aux cheveux blonds qui avaient l'air de frères et de sœurs, il n'y avait personne dans la salle basse.

Léa avait choisi un coin près de la grande cheminée encadrée de casseroles de cuivre et elle lui tendit à nouveau la main en s'exclamant :

— Déjà ! Vous avez eu le temps de dîner ?

Elle était occupée, elle, à manger du bœuf gros sel, une des spécialités de Fred, qu'elle accompagnait d'une bouteille de Beaujolais.

— Vous en prenez un peu avec moi ?

— Du vin, volontiers. Du bœuf, non.

— Vous étiez cet après-midi à la cérémonie ?

— Non.

— Moi non plus. Ces histoires-là me rendent malade. Hier soir, après avoir écouté un moment la radio, je me suis couchée et j'ai lu dans mon lit.

Peut-être avait-il eu tort de ne pas lui avoir donné rendez-vous ailleurs ? Peut-être même aurait-il mieux fait de ne pas lui donner de rendez-vous du tout ? A cause de l'atmosphère élégante, elle se croyait obligée de parler autrement que d'habitude, ce qui ne lui allait pas. Il la regardait, déçu, se demandant s'il n'allait pas poser un billet sur la table et partir.

Pour aller où ? D'ailleurs, elle avait compris son erreur.

— Qu'est-ce que vous avez, ce soir ?

— Rien.

— Vos amis ne vous ont rien dit, tout à l'heure ?

— A quel sujet ?

Cela la fit rire.

— Parce que vous êtes venu me trouver tranquillement, en plein *Café Riche*. D'habitude, il n'y a que les étrangers de passage à se comporter ainsi. Les autres ont trop peur.

— De quoi ?

— Il demande de quoi ! Il est magnifique ! De leur femme, tiens. Et aussi de ce que diront les gens.

On lui avait apporté un verre et il se versait du Beaujolais.

— Avouez que quelque chose vous tracasse.

— Je n'avoue rien.

— Les autres fois, vous étiez différent. On sentait que vous aviez envie de rigoler.

— Et aujourd'hui ?

— J'ai tort ? questionna-t-elle en le regardant avec un sourire qui cachait mal son sérieux.

Elle dut sentir qu'elle faisait à nouveau fausse route.

— Oui, j'ai tort. Je vous demande pardon. Vous n'êtes pas comme ça, mais j'ai tellement l'habitude de ceux qui ont envie de parler...

— Seulement de parler ?

— Le reste suit presque toujours, bien sûr. Mais ce n'est pas ce qui compte. C'est de parler qu'ils ont surtout envie.

— Qui, par exemple ?

— Vous aimeriez savoir ? Rien qu'à votre table, tout à l'heure, il y en avait deux.

— Lescure ?

— Lequel est-ce ?

— Le plus grand, en complet marron, avec la rosette de la Légion d'honneur.

— Non. Celui-là ne m'a jamais adressé la parole et je ne crois pas qu'il en ait été tenté.

— Nédelec ?

— Je ne retiens pas les noms, mais si c'est le petit gros qui vend des grains...

— Il vous a souvent accompagnée ?

— Deux fois. La première, croyant avoir compris, je suis sortie du café et j'ai marché lentement, en m'arrêtant à toutes les vitrines. J'ai dû aller ainsi presque jusqu'au bout de la ville avant qu'il

se décide. C'est un pauvre homme. Il est très malheureux.

— Parce qu'il a perdu sa femme ?

— Aussi. Il l'aimait bien. C'est surtout à cause
de sa fille.

— Il t'a parlé de sa fille ?

— Il ne m'a parlé que d'elle et cela finissait par
ressembler à une consultation. Je sais qu'elle
s'appelle Yvonne, qu'elle a vingt-huit ans, que, non
seulement elle est sourde-muette, mais qu'elle
n'est pas comme une autre.

Lambert l'avait rencontrée souvent dans la rue,
en compagnie de la bonne, mais n'avait jamais
entendu dire qu'elle fût simple d'esprit. N'est-ce
pas cela que Léa insinuait ?

Yvonne Nédelec était difforme, plutôt inache-
vée, sans qu'on puisse déterminer à première vue
ce qui lui manquait.

— Un jour, alors qu'elle avait à peine huit ans,
son père l'a surprise au moment où elle déshabillait sauvagement un garçon plus jeune qu'elle
qui pleurait. Cela vous intéresse ?

— Va toujours.

— Plus tard, quand elle a été pubère, elle a commencé à s'en prendre aux hommes.

— Elle les déshabillait aussi ? ironisa-t-il.

— Imbécile ! Il n'y a pas de quoi rire. Elle se
frottait à eux et allait si loin qu'il est devenu dangereux de la laisser sans surveillance. Il y a eu un
incident avec un encaisseur du gaz qu'on a pris sur
le fait alors qu'il commençait à en profiter. La
domestique est arrivée juste à temps...

Nédelec ne lui en avait jamais parlé, ni aux
autres, et personne sans doute, en dehors de Léa,
peut-être aussi des médecins, n'en savait rien dans
la ville.

Ils se turent pendant que le garçon desservait et
tendait à Léa une carte immense sur laquelle les
spécialités étaient écrites en rouge.

— Vous avez pris votre dessert ?

— Non.

— Vous voulez manger des crêpes Suzette avec moi ?

— Si tu y tiens.

Quand ils furent seuls, elle reprit à mi-voix :

— Le pauvre avait besoin de se confier à quelqu'un, surtout que le docteur conseillait une opération pour rendre la fille stérile. Il en était effrayé. Alors, je lui ai dit que j'ai les deux ovaires enlevés et que cela ne m'empêche pas de me porter comme le Pont Neuf, ni de prendre mon plaisir comme tout le monde.

Il se souvint de la cicatrice qu'il avait remarquée la première fois qu'elle s'était déshabillée devant lui.

— Il a fini par coucher avec toi ? questionna-t-il sans ironie apparente.

— Bien sûr.

— C'est par crainte d'avoir des enfants que tu t'es fait opérer ?

— Moi, ce n'est pas le même cas. A l'hôpital, ils ne m'ont pas demandé mon avis. J'étais malade à crever.

— Tu l'as revu ?

— Il y a trois semaines, tout guilleret parce que l'opération a eu lieu et a réussi. Il m'a dit :

» — C'est toujours ce danger-là d'écarté.

» Tu veux que je t'avoue l'arrière-pensée qui m'est venue alors ?

Elle se reprenait à le tutoyer, ce qui ne lui arrivait d'habitude que quand elle commençait à se déshabiller.

— Vas-y.

— Tu sais, c'est sans doute exagéré, mais pas si idiot que ça en a l'air. Si le pauvre vieux trouvait un garçon à peu près convenable, non pour épouser sa fille, car aucun n'en voudrait, mais pour la satisfaire de temps en temps et éviter ainsi qu'elle s'en prenne à n'importe qui...

Il avait compris.

— Qu'est-ce que tu en penses, toi ?

— Je n'en pense rien.

Il plaignait Nédelec à qui, en dehors du bridge, il n'avait jamais prêté grande attention. Il pensait à Edmonde, et cela l'entraînait à évoquer d'autres femmes, d'autres hommes qu'il avait connus, son frère Fernand aussi, et même la femme de Marcel qui, tout le monde le savait en ville, était tombée amoureuse d'un jeune pianiste de passage et n'avait été rattrapée que sur le quai de la gare alors qu'elle prenait le train avec lui.

Ils regardaient en silence flamber les crêpes sur le réchaud en cuivre rouge et Fred officiait en personne, cependant que les Suisses se retournaient pour mieux suivre l'opération.

— C'est bon ! disait Léa en savourant une première bouchée brûlante.

— Café, monsieur Lambert ?

— Deux cafés, oui.

Puis, le patron éloigné :

— Et l'autre, celui des joueurs qui a une tête de rat ?

— Tiens ! Tu as pensé à la tête de rat aussi ? Lui, je ne l'ai vu qu'une fois et je n'ai pas envie de le revoir. Il s'est trompé d'adresse. D'abord, à peine chez moi, il m'a déclaré qu'il était un gamin malappris et que je devais le traiter sévèrement. Figure-toi que j'ai été assez bête pour ne pas comprendre immédiatement. Je lui ai lancé en me déshabillant :

» — Tu rigoles !

» Mais il ne riait pas du tout. Embarrassé, malheureux, il s'efforçait de m'expliquer son cas. Il avait peur des mots, ne savait comment s'y prendre. Il avait besoin, bégayait-il, d'être corrigé, physiquement, sans quoi...

— Compris ! laissa tomber Lambert.

Il n'était pas écœuré, ne riait pas non plus. Il était triste. Et, du coup, il s'en voulait presque d'avoir appelé Capel tête de rat.

— A la fin, il a pleuré sur mon épaule en me racontant son enfance dans je ne sais plus quelle ville du Nord, Roubaix ou Tourcoing, je crois, et il m'a suppliée d'être compatissante.

» Tu sais, ce n'est pas que je sois vieille, ni que je couche à tour de bras, mais je pourrais t'en raconter comme ça jusqu'au matin.

— Pourquoi, quand je suis arrivé au restaurant, as-tu pensé que j'avais envie de parler ?

— Parce que, tout à coup, tu m'as paru avoir des problèmes, toi aussi. Tout le monde, au fond, a des problèmes. J'ai les miens, et si je me laissais aller, je m'apitoierais peut-être sur moi-même pendant des heures.

— Tu ne le fais jamais ?

— Qui est-ce qui m'écouterait ?

— Tu en as parfois envie ?

— Ne parlons pas de ça, cela vaut mieux. Parlons de toi, des crêpes Suzette, de tout ce que tu voudras. Qu'as-tu l'intention de faire, après le café ?

— Rien.

— Tu vois !

Il n'avait bu que deux ou trois verres de Beaujolais et pourtant il avait la poitrine chaude, le sang à la tête.

— Tu ne viens pas chez moi ?

Elle habitait un appartement coquet, très moderne et très féminin, dont elle était fière, qu'elle montrait avec la fierté d'une jeune mariée. Elle lui en avait fait, toute nue, les honneurs dans les moindres détails.

— C'est toi qui fais le ménage ? lui avait-il demandé.

— Qui serait-ce ? Je sais faire la cuisine aussi.

Le jour où tu auras envie d'un coq au vin comme tu n'en as jamais mangé, tu n'as qu'à m'avertir la veille.

Il y avait une gêne entre eux, maintenant, et il sentait qu'elle se demandait comment le mettre à l'aise. Cela l'impatientait. Mais Nicole était encore debout et il ne voulait pas rentrer chez lui avant qu'elle soit endormie.

— Tu n'es pourtant pas un compliqué ! murmura Léa comme pour elle-même. Tu es un brave type, qui voudrait tout le monde heureux. Ce n'est pas vrai ?

Il ne répondit pas.

— Tu sais, un autre type bien, ici ? C'est un de tes amis, avec qui je t'ai rencontré souvent, le commissaire Benezech. Je dépends plus ou moins de lui, tu comprends ? Il n'aurait qu'à lever le petit doigt pour que je sois obligée à quitter la région. Des tas d'autres, dans son cas, en profitent, presque tous. Lui pas. Et pourtant je te prie de croire, sans me vanter, qu'il en a une terrible envie. Je l'ai d'ailleurs forcé à l'avouer.

» — Si c'est parce que vous avez peur que je m'en vante ou que je vous fasse chanter... lui ai-je dit.

» Il a failli céder. A la fin, il m'a lancé :

» — Va, mon petit. F... le camp !

» Et il a ajouté drôlement :

» — On verra ça dans quelques années, quand j'aurai pris ma retraite.

» Tu ne trouves pas que c'est chic ? Je ne serais pas surprise qu'il n'ait jamais trompé sa femme, par crainte des complications. Qu'est-ce que tu en penses ?

Il ne pensait plus à Benezech, mais à lui et à Edmonde, car c'était vrai qu'il avait un problème, et une question à poser, lui aussi.

Après tout ce qu'elle venait de lui raconter, il n'osait plus.

— Un armagnac, monsieur Lambert, et une chartreuse pour mademoiselle ?

Il fit oui de la tête, attendit que les consommations fussent servies et, tandis que Fred, à la caisse, mettait ses lunettes pour préparer leur addition, il finit par murmurer, aussi confus que Capel avait dû l'être :

— Dis-moi...

— Oui.

— Cela t'arrive de te caresser ?

— Parbleu ! Pourquoi demandes-tu ça ?

— Pour rien. Réponds.

— J'ai déjà répondu. Cela m'arrive presque chaque jour, le matin, dans mon lit, comme quand j'étais petite fille et que je ne savais pas ce que c'était. Si c'est ça qui te tracasse, dis-toi bien que la plupart des femmes en font autant. Seulement, il y en a beaucoup qui ne l'avouent pas.

Elle ne triomphait pas, bien qu'il y fût venu, comme les autres.

— Qui est-ce ?

Il répondit :

— Personne.

Et il fit signe à Fred d'apporter l'addition.

Par respect humain, il l'accompagna chez elle, où il s'était promis de ne rester que quelques minutes.

Deux heures plus tard, assis au bord du lit sur lequel elle était étendue, les mains croisées derrière la nuque, il lui avait raconté les moindres détails de ses relations avec Edmonde, sauf l'histoire de l'auto, bien entendu.

6

La journée du lendemain, qui était samedi, fut une de ces journées si neutres qu'elles laissent le souvenir d'un vide et qu'on se demande plus tard à quoi on a pu en employer les heures. Il dut se lever vers six heures comme d'habitude, suivre sa petite routine, préparer son café, descendre au bureau, assister, sur le quai, à la mise en train des Nord-Africains qui déchargeaient toujours la péniche.

Au petit déjeuner, Nicole demanda :

— Que penses-tu que je doive acheter pour Marcel ?

Il la regarda avec l'air de revenir de si loin qu'elle ne put s'empêcher de rire.

— Tu as oublié que c'est demain l'anniversaire de ton frère ?

Pas exactement le lendemain. Le mardi suivant. Mais on avait pris l'habitude de fêter tous les anniversaires le dimanche.

— Un livre ? proposa-t-il.

C'était le plus facile et aussi le meilleur moyen de lui faire plaisir. Par goût ou par snobisme, Marcel s'intéressait à l'histoire de l'art et possédait une bibliothèque d'albums de reproductions de tableaux, de sculptures et même de mobiliers.

Nicole décida :

— Je passerai ce matin chez le père Blanche.

C'était le libraire de la rue du Pont, chez qui Marcel se fournissait et qui savait par conséquent quels ouvrages il avait déjà.

Que s'était-il passé ensuite ? Il avait pris son bain, était descendu au bureau où, à cause de ses confidences de la veille à Léa, il avait évité le regard d'Edmonde. Puis, après avoir fourré des papiers dans sa poche, donné des signatures à M. Bicard, le chef comptable, qui irait chercher l'argent à la banque et se chargerait de la paie des ouvriers, il était monté en voiture.

Dédaignant la 2 CV, il avait pris la traction, car il allait assez loin, à Verdigny, où ils venaient d'achever les bâtiments de la nouvelle école et où il avait rendez-vous avec l'architecte. C'était à vingt-deux kilomètres au sud. Il traversa le canal et, tout le long du chemin, n'eut pas conscience de penser.

Il avait décidé, la veille, en revenant de chez Léa, de ne plus se tracasser, de ne plus avoir de problèmes, comme elle disait, et d'attendre les événements.

Soubelet, l'architecte, l'attendait sur le seuil de l'école en compagnie du maire et de deux instituteurs et ils passèrent une heure et demie à examiner les locaux en détail, essayant les robinets, les chasses d'eau et, comme il l'avait prévu, il dut déjeuner avec eux dans un hôtel pour voyageurs de commerce où on leur avait réservé la table ronde.

Après cela, le maire voulut lui montrer sa maison, lui faire goûter son eau-de-vie de prunes.

Il était quatre heures quand il franchissait à nouveau le pont du canal. Les bureaux et les chantiers étaient fermés à cause de la semaine anglaise ; sans s'arrêter quai Colbert, il avait roulé jusqu'au centre de la ville et était entré dans un cinéma.

Il passa ensuite une demi-heure au *Café Riche*,

ne fit pas la partie car Weisberg était là et on n'avait pas besoin de lui comme quatrième. Il regarda vaguement tomber les cartes, but un seul verre et rentra chez lui à huit heures.

C'était le jour du bridge chez le docteur Maindron, qu'il avait connu par Nicole et chez qui on rencontrait surtout des médecins. Le docteur Julémont, qui s'y trouvait, fournit des détails sur la santé de la petite Lucienne Gorre qu'il était désormais sûr de sauver.

Rien d'autre ? Il ne voyait rien. Il avait peu parlé, s'était montré plutôt renfermé toute la journée et, en rentrant en voiture avec sa femme, il ne desserra pas les dents.

Certains dimanches d'automne, il allait à la chasse. Il en avait d'autant moins envie cette fois-ci qu'il lui faudrait rentrer de bonne heure pour s'habiller et se rendre chez Marcel. Il prit le parti de dormir, ne se leva que quand Nicole fut déjà partie pour la grand-messe.

Il n'aimait pas les dimanches, les bureaux et les chantiers vides, les heures qu'il ne savait comment employer, et il appréciait encore moins les fêtes de famille comme celle de l'après-midi.

Le temps s'était remis au beau. En allant chercher son café dans la cuisine, il lui parut que les vêtements d'Angèle, qui avait assisté à la première messe, étaient encore imprégnés d'encens.

De sa fenêtre, il voyait quelques pêcheurs, le long du canal, et les mariniers s'étaient endimanchés, la petite fille portait une robe rose avec un gros nœud dans les cheveux.

Il était trop tard pour manger. Il emporta son café dans la salle de bains, se rasa, mécontent du visage que lui montrait le miroir et qui lui parut laid, vulgaire, de ses yeux plus pochés qu'à l'ordinaire, mécontent de tout, en somme, mal à l'aise dans sa peau.

Dans son bain, il se demanda si Edmonde allait

à la messe. C'était probable, probable aussi que, le dimanche, elle s'habillait autrement que les autres jours. Il ne l'avait jamais rencontrée le dimanche, n'avait aucune idée de la façon dont elle utilisait son temps. Elle vivait seule avec sa mère, mais elle avait peut-être des oncles et des tantes, ou des amies ?

De toute façon, cela ne présentait aucun intérêt et, s'il y pensait, c'était pour ne pas penser à autre chose.

Il était nu, à s'essuyer devant la fenêtre ouverte, quand il fronça les sourcils en reconnaissant l'homme aux chèvres et cela changea le cours de ses préoccupations. L'homme était endimanché aussi, portait un complet bleu marine trop court et trop étroit qui lui donnait l'air encore plus long, une chemise blanche, une cravate et une casquette.

Il déambulait sur le quai de déchargement en s'arrêtant parfois pour regarder la péniche du même œil vide qu'il regardait défiler les autos dans la Grande Côte.

C'était la première fois que Lambert l'apercevait sans ses chèvres. Jamais il ne l'avait vu en ville, ni quai Colbert, et sa présence, aujourd'hui, lui apportait la certitude que son intuition du premier jour ne l'avait pas trompé.

L'homme aux chèvres l'avait évidemment reconnu quand il était passé avec Edmonde. Etait-il ici pour lui parler ? Il marchait de long en large, lentement, puis il s'assit sur des madriers, non plus face au canal mais face aux bâtiments qui portaient en lettres noires : « *Les Fils de J. Lambert.* »

Faute, peut-être, d'avoir son bâton à la main, il ne savait que faire de ses grands bras qu'il croisait et décroisait et il resta longtemps, ensuite, les deux mains à plat sur les genoux. Au moins une fois, il avait levé les yeux vers les fenêtres de l'appartement et il devait avoir aperçu Lambert qui, à ce moment-là, se passait un peigne dans les cheveux.

Son visage, autant qu'on en pouvait juger à distance, était sans expression. Il ne fit aucun geste, ne bougea pas.

Avait-il l'intention de lui proposer un marché ? Si oui, autant lui en donner tout de suite l'occasion, et Lambert s'habilla en hâte, descendit, ouvrit la porte, alluma une cigarette comme quelqu'un qui vient prendre l'air sur son seuil.

Une dizaine de mètres seulement les séparaient. Derrière l'homme, la petite fille habillait sa poupée, assise sur le pont de la péniche, et sa mère écossait des petits pois près du gouvernail. Il y avait cinq pêcheurs, dont un gamin, sur l'autre berge, et une légère brise frisait la surface de l'eau.

L'homme gardait son immobilité et Lambert s'impatientait, faisait quelques pas sur le trottoir pour le tenter. Comme il ne se décidait toujours pas, il traversa la chaussée et alors, au moment où il mettait le pied sur le quai, l'homme aux chèvres se leva précipitamment, s'élança à grandes enjambées vers la rue de la Ferme.

On aurait juré qu'il avait eu peur d'être frappé. Il s'éloignait de plus en plus vite et il parcourut près de cent mètres avant d'oser se retourner.

Lambert fut surpris, quand il le quitta un instant des yeux, de voir sa femme, qui était revenue de la messe par le raccourci, debout sur le seuil de la maison. Elle l'observait avec étonnement.

— Qu'est-ce que tu fais là ? questionna-t-elle.

— Rien. Je prends l'air.

Elle n'insista pas et il ne retourna dans l'appartement qu'une bonne heure plus tard, après être allé acheter des cigarettes et boire un vin blanc.

Qu'est-ce que l'homme aux chèvres était venu faire quai Colbert ? Pourquoi avait-il été pris de panique ? L'explication la plus simple, c'était que la police l'avait questionné, qu'il avait parlé de

Lambert et de sa compagne et qu'il rôdait ce matin sur le quai dans l'espoir d'assister à son arrestation.

Or, personne ne venait l'arrêter. Il ne se passait rien. Les rues étaient presque vides sous le soleil et les rares bruits, dans le silence, avaient un son différent des autres jours.

Il n'y avait pas de journal à lire. Il n'avait aucune envie d'écouter la radio et il se traîna d'une pièce à l'autre en fumant des cigarettes jusqu'à l'heure du déjeuner.

A trois heures, Nicole et lui se dirigeaient en voiture vers la maison que Marcel s'était bâtie sur la colline, de l'autre côté de la ville, dans un quartier neuf qui devenait le plus élégant. C'était plutôt une grande villa, moderne sans exagération, entourée d'un jardin en pente que le vieil Hubert entretenait magnifiquement.

Ils n'étaient pas les premiers. Les beaux-parents de Marcel avaient dû déjeuner à la villa, ainsi peut-être qu'une des belles-sœurs du côté d'Armande.

Celle-ci était la fille du sous-directeur de la Banque du Commerce, une banque locale fondée sous Louis-Philippe, dans laquelle il avait débuté comme garçon de bureau. Les Motard avaient d'autres enfants, trois ou quatre, tous mariés, mais une seule des filles habitait encore la région et c'était elle qui était là avec son mari et ses enfants.

La tradition voulait qu'on ne parle de rien en arrivant. On venait voir Marcel et sa femme comme par hasard, en cachant plus ou moins derrière son dos le cadeau qu'on déposait dans un coin.

Motard était un petit homme volontiers solennel et son gendre, Bénicourt, qui travaillait à la banque aussi, sous ses ordres, feignait de boire ses paroles, hochait la tête, approuvait, éclatait de rire à chaque plaisanterie.

Les deux fils de Marcel étaient là, Lucien-le-polytechnicien et Armand-le-fort-en-thème, ainsi que leur sœur, qui avait déjà emmené ses cousines au fond du jardin.

La femme de Marcel était une belle femme qui rappelait un peu Léa, en plus épanoui, en plus éclatant et, à quarante ans, elle était plus désirable que jamais. Elle le savait et se montrait moins réservée que la fille du *Café Riche* dans ses attitudes et dans ses regards. Devant un homme, n'importe lequel, elle avait toujours l'air de vouloir s'assurer de l'effet qu'elle produisait.

— Comment allez-vous, Joseph ?

— Et vous, monsieur Motard ?

Des poignées de main. Des banalités. Les femmes s'embrassaient. Tout le monde était endimanché. Il y avait du parfum dans l'air et des tasses de café traînaient encore sur la table de la véranda.

Marcel allait de l'un à l'autre, très maître de maison, et bientôt une auto s'arrêtait, Françoise, une des sœurs de Nicole, en descendait avec son mari et ses filles.

C'était curieux que la famille de Nicole eût adopté la maison de Marcel, qui n'était que son beau-frère, et non celle de son mari. Souvent, Raymonde, Françoise et Jeanne venaient ici passer l'après-midi du dimanche, alors qu'elles ne mettaient pour ainsi dire jamais les pieds quai Colbert, comme si Lambert leur faisait peur ou comme si elles ne s'y sentaient pas à leur aise.

Il n'y eut qu'une des filles Fabre ce jour-là, deux en comptant Nicole, bien entendu. Celle-ci excusa Raymonde, l'aînée, qui avait dû se rendre à Moulins dans la famille de son mari, et Jeanne qui soignait sa fille atteinte de la rougeole.

Les femmes, petit à petit, se groupaient dans un coin, les hommes dans un autre, tandis qu'enfants et jeunes gens restaient dehors sans trop savoir que faire, car ils étaient d'âges différents et il n'y avait pas de contact possible entre les aînés et les plus jeunes.

Lucien, le polytechnicien, ne tarda pas à rejoindre le clan des hommes et son frère alla s'enfermer dans une autre pièce pour jouer du phonographe.

De quoi parlait-on au juste ? Contrairement à toute attente, il fut peu question de la catastrophe du Château-Roisin, davantage d'avions à réaction puis, pendant une demi-heure, de politique internationale.

Lambert se taisait, grognon, se demandant si Marcel avait plus de goût que lui pour ce genre de réunions. Il donnait, en tout cas, la réplique à son beau-père, et ce fut lui qui dit à certain moment :

— A propos, j'ai fait la connaissance d'un garçon étonnant, qui a d'ailleurs une profession peu courante, un certain Chevalier. Sa tâche consiste à enquêter, de la même façon qu'un policier, pour le compte d'une grande compagnie d'assurances. Ecoute ceci, Lucien...

Il poursuivait, tourné vers son fils :

— A quinze ans, il passait son bachot et ensuite, pour son plaisir, par jeu, par défi, ses examens d'entrée à Navale, Polytechnique et Normale...

— Qu'a-t-il choisi en fin de compte ?

— Normale. En même temps, il faisait sa chimie et je ne sais quoi encore. Il est couvert de diplômes et il a à peine trente ans.

— Qu'est-il venu faire ici ?

— Sa compagnie assure l'autocar détruit au Château-Roisin et il cherche à établir les responsabilités.

— Où l'as-tu rencontré ?

— Chez les Bergeret. J'ignore comment il les connaît, peut-être par leur fils, qui a passé par Normale aussi et qui est à peu près de son âge.

Guillaume Bergeret était président du tribunal et c'était dans son bel hôtel particulier de la rue de l'Ecuyer que se réunissaient les personnages importants de la ville, les gens des châteaux d'alentour.

— Il a pu se faire une opinion ? interrogea le père Motard.

Si Chevalier avait exprimé une opinion sur le drame, on ne le sut pas ce jour-là car, selon la tradition, Armande venait annoncer aux hommes :

— Messieurs, le goûter est servi.

Les femmes avaient disparu depuis un moment et on les retrouva, avec les enfants au complet, autour de la table de la salle à manger où était servi un énorme gâteau piqué de bougies allumées.

— Bon anniversaire, Marcel.

Chaque année, celui-ci jouait la surprise, la confusion, embrassait les assistants tour à tour, se contentant de frôler la joue des hommes comme on le voit faire aux remises de décorations. On lui donnait les cadeaux enveloppés, qu'il posait sur un guéridon, car, avant de les déballer, il devait souffler les bougies et couper la première tranche de gâteau.

Lambert était-il un monstre ? Il y avait des moments, comme celui-ci, où il lui arrivait de se le demander. Il les regardait l'un après l'autre et les trouvait grotesques, il y avait, pour lui, dans cette scène bien réglée, quelque chose de faux et de désespérant.

— Tu veux déboucher les bouteilles, Joseph ?

Il s'agissait des bouteilles de champagne, préparées sur la table avec les coupes, et Armande ajouta en appuyant :

— Tu en as l'habitude, n'est-ce pas ?

Plus tard, pour les enfants présents, pour les neveux et nièces absents aujourd'hui, il passerait pour le mauvais sujet de la famille, l'oncle dont on a un peu honte mais qu'on envie en secret. Armand, le lycéen, qui avait dû le voir passer dans la rue avec des femmes, le dévorait des yeux et sa sœur évitait toujours de l'embrasser, alors qu'elle embrassait tous les autres, comme si elle avait peur de lui ou d'on ne sait quelle contagion.

Il emplit les coupes, aidé par Motard, qui s'esclaffait à chaque bouchon qui sautait.

— A la santé de Marcel ! En lui souhaitant encore beaucoup d'années aussi heureuses.

Marcel était-il vraiment heureux, avec une femme qu'il avait dû aller rattraper à la gare et qui s'excitait sur tous les mâles ?

Motard, peut-être, était heureux, ou le croyait, et peut-être aussi l'autre imbécile de gendre qui buvait ses paroles dans l'espoir d'occuper un jour sa place à la banque.

L'orage qui s'amassait en lui devait se lire sur son visage, car il rencontra le regard presque suppliant de Nicole qui semblait dire :

— Surtout, ne fais pas d'éclat !

Il n'en fit pas, s'amusa tout seul, à les observer, à écouter ce qu'ils disaient et personne ne s'apercevait — lui non plus, d'ailleurs — qu'il vidait coupe de champagne sur coupe de champagne.

Le cadeau d'Armande à son mari était un nouveau sac de golf en cuir fauve, car depuis trois ans Marcel s'étais mis en tête de jouer au golf, ce qui l'obligeait, le samedi ou le dimanche, à se rendre à plus de cinquante kilomètres. L'étonnant, c'est qu'il réussissait, à force de volonté, et qu'il avait gagné l'année précédente un tournoi assez important.

Nicole, sur le conseil du père Blanche, le libraire, avait choisi cette fois un album sur la sculpture égyptienne.

— Qui désire encore du gâteau ?

Il faisait chaud et, pour ne pas peiner sa femme, Lambert s'astreignait à garder son veston, qu'il aurait retiré un autre dimanche.

Plusieurs personnes parlaient à la fois. Les enfants avaient été les premiers à retourner au

114

jardin ou ailleurs, car on ne les vit plus, sauf le dernier de Raymonde qui avait huit ans et qui, pour une raison mystérieuse, pleurait à chaudes larmes.

— Qu'est-ce que tu as, Jean-Paul ? Dis à maman ce que tu as.

Ce matin, en apercevant l'homme aux chèvres, Lambert avait été effrayé. Il y avait trois jours qu'il vivait dans la peur et, tout à l'heure encore, quand on avait parlé de Chevalier, il avait eu froid dans le dos.

Or, si aujourd'hui ou demain, n'importe quand, on venait l'arrêter, qu'est-ce qu'il perdrait ? Ceci ? Ce qu'il avait sous les yeux ? Ce qu'il était en train de vivre ? Les parties de bridge au *Café Riche* avec Lescure, le pauvre Nédelec et la larve à tête de rat ?

Qu'est-ce qui l'avait retenu de s'envoyer une balle dans la tête comme l'idée lui en était venue ? Qu'est-ce qui l'en empêchait encore ?

Il haïssait les soirées avec Nicole. Au bureau, il passait le plus clair de son temps à grogner. De temps en temps, il tirait une bordée, comme un soldat ou un matelot, dont il revenait courbaturé et hagard.

— Je prétends, moi, prononçait sentencieusement le petit M. Motard, que l'éducation moderne, pour être efficace, devrait tenir compte de...

De quoi ? Encore un qui avait la réponse à toutes les questions. N'éprouvait-il pas de temps à autre, lui aussi, le besoin de s'épancher sur le sein d'une Léa ?

— Fais attention, Joseph.

Cette fois, sa femme ne se contentait plus d'un regard ; elle s'était approchée discrètement pour lui souffler son avertissement à l'oreille.

— A quoi ?

— Chut ! Tu le sais bien.

Ses yeux devenaient brillants, il n'avait pas

besoin de se regarder dans la glace pour le découvrir, et ses oreilles tournaient au cramoisi, son nez luisait. Il n'en pouvait rien s'il avait le nez du vieux Lambert. C'était lui, à présent, le vieux Lambert !

— Tu leur ferais tant de peine !

C'était arrivé une fois, il y avait des années, quand les enfants de Marcel étaient encore petits. Ils étaient réunis pour la même occasion, non pas dans cette maison mais dans une autre, plus modeste, que son frère occupait alors, près du chemin de fer. Déjà, avant de partir, il avait bu plusieurs verres, il avait oublié pourquoi, sans doute parce que, ce jour-là aussi, il était mal dans sa peau. M. Motard, qui le tenait par le bouton de son veston, prononçait un interminable discours d'économie politique.

— Voyez-vous, mon jeune ami...

Il appelait tout le monde « mon ami » ou « mon jeune ami ». Que s'était-il passé ensuite ? Il ne s'en était jamais souvenu car, tout en feignant d'écouter son interlocuteur, il vidait tous les verres à portée de sa main. A la fin, il s'était écrié :

— On s'emmerde, ici, messieurs dames. Moi, je f... le camp et j'ai bien l'honneur de vous saluer.

Marcel lui en avait voulu longtemps. Nicole aussi. Seule Armande avait éclaté d'un rire qui s'était arrêté dans sa gorge quand son mari l'avait regardée.

Marcel la tenait, parce qu'elle ne possédait aucune fortune. Si elle avait eu de l'argent, il est probable que son mari ne l'aurait pas ramenée de la gare.

Lescure n'avait pas tout à fait tort, la veille, en prétendant que Chevalier était un garçon remarquable. Il n'était pas allé tripatouiller les débris de l'autocar au pied de la Grande Côte mais, à peine arrivé en ville, il était introduit chez le président Bergeret, de sorte qu'il était déjà au courant de tous les potins.

Les hommes suivaient Marcel dans son bureau tapissé de livres et Lambert les suivait, non sans avoir vidé les quelques coupes encore pleines ou à moitié pleines sur la table. Sa belle-sœur, qui le vit faire, lui sourit. C'était une vraie femelle et sans doute n'aurait-il qu'à lui mettre la main...

On passait les cigares. Marcel n'en fumait pas, mais Lambert en prit un et cela faisait ainsi, l'odeur des cigares se mêlant à celle du champagne, encore plus fête de famille.

On étalait des albums sur le bureau, on se penchait, on admirait. Il alla, lui, regarder par la fenêtre, aperçut la fille de son frère couchée à plat ventre sur l'herbe, toute seule, dans le soleil. Elle avait quatorze ans et elle était déjà très formée, car elle ressemblait à sa mère, ce qu'il valait mieux ne pas dire à Marcel à qui cela ne faisait aucun plaisir.

Du coup, il pensa à Edmonde et, comme le matin, il se demanda où elle était à cette heure-ci. Dans quelque cinéma, avec sa mère ? Ou à une réunion de famille, elle aussi ? Ou encore avec un amoureux ?

Il ignorait tout d'elle. Il ne lui avait jamais demandé si elle avait un amant, savait seulement qu'elle n'était pas vierge quand il l'avait prise pour la première fois.

Allait-il devenir jaloux ?

— Qu'est-ce que vous en pensez, vous, Joseph ?

— De quoi ?

— Des Egyptiens.

Il ressentait déjà, dans sa tête, un flottement qu'il connaissait bien, et la façon dont il fronçait les sourcils, son air buté n'étaient pas moins révélateurs. Sur un meuble, il avisa une carafe de liqueur entourée de verres en cristal, cadeau d'un précédent anniversaire, et, comme tout le monde avait le dos tourné, il se versa à boire. Il vidait son verre d'un trait, à la sauvette, quand Marcel leva les yeux vers lui.

Marcel ne dit rien. Ce n'était pas le moment. Ce fut Lambert qui eut honte d'être surpris et, comme il avait horreur de la honte, il sortit brusquement de la pièce, puis de la villa. Il en avait assez. Nicole lui avait demandé de ne pas faire d'éclat et, s'il restait davantage, cela arriverait fatalement. Il ne rencontra personne. Les femmes devaient être montées chez Armande pour se refaire une beauté et elles finiraient par passer là-haut une partie de l'après-midi.

Il claqua la portière de sa voiture qu'il mit en marche, ce qui suffit à attirer Nicole à la fenêtre.

Tant pis ! Elle trouverait quelqu'un de la famille pour la reconduire. Ils étaient entre eux, à présent, et, au fond, devaient être soulagés de son départ. L'oncle qui a mal tourné, l'espèce de brute aux réactions imprévisibles, était parti.

Il n'avait pas la moindre idée de l'endroit où il se rendait et il lui vint une pensée folle qui, pendant quelques instants, lui parut presque raisonnable. Qu'est-ce qui l'empêchait de se diriger vers la Grande Côte et d'apostropher l'homme aux chèvres afin de savoir une fois pour toutes ce qu'il avait dans le ventre ?

L'autre était bien venu, le matin, rôder sur le quai. Il lui rendrait la pareille, à la différence qu'il irait droit à lui et lui poserait la question.

Ou il avait vu quelque chose, ou il n'avait rien vu.

Ou il avait parlé à la police, ou il s'était tu.

C'était clair. C'était net. Il n'existait pas d'autre alternative. S'il n'avait pas parlé à la police, qui l'avait sûrement questionné comme elle questionnait tout le monde le long de la grand-route, c'est qu'il avait ses raisons.

Toujours clair, non ? Lambert n'était pas ivre. Il avait bu, mais ses idées restaient claires.

Où en était-il ? Bon ! Si l'homme aux chèvres n'avait rien dit, c'est qu'il avait son plan. Et, s'il avait un plan, il n'y avait aucune raison d'attendre.

Voilà !

Il lui parlerait nez à nez, les yeux dans les yeux, en homme.

— Qu'est-ce que tu veux au juste ?

Il était persuadé que l'idiot se mettrait à trembler. Ces gens-là sont des lâches, à l'affût d'un petit profit, mais, dès qu'on les regarde d'une certaine façon, ils se dégonflent.

De l'argent ?

A la rigueur, il lui en donnerait, pour avoir la paix. Combien ?

Non ! Ce n'était pas prudent de lui remettre de l'argent. Il se mettrait à le dépenser et nul n'ignorait qu'il ne possédait rien d'autre que ses chèvres et sa bicoque. On se poserait des questions. La gendarmerie l'apprendrait vite, ou encore Chevalier, qui connaissait déjà si bien la ville et qui ne tarderait pas à être familier avec la campagne.

Il ne lui donnerait rien du tout. Il le ferait taire autrement. Comment ? Il ne le savait pas encore. C'était justement ce qu'il fallait découvrir ; le moyen de le faire taire. Cela demandait réflexion. C'était capital. *Ca-pi-tal !*

Il avait soif, se demandait soudain ce qu'il faisait près de l'usine à gaz où il n'y avait que des maisons ouvrières et pas un seul bistrot. Il accomplit un demi-tour si brutal que les roues grincèrent, s'élança vers le centre de la ville avec l'idée de s'arrêter chez Victor. Il n'était pas d'humeur à s'asseoir au *Café Riche*. Il en avait par-dessus la tête des gens qui ressemblaient à ces messieurs-dames de chez son frère.

Victor était un malin. Il ne lui demanda pas comme d'habitude :

— Ça va, monsieur Lambert ?

Il se contenta de lui serrer la main sans un mot, avec juste un regard interrogateur.

— M'excuse, Victor. Suis allé fêter en famille l'anniversaire de mon très cher frère et cela m'a donné soif. Cela se voit ?

Tout en parlant, il se regardait dans le miroir derrière les bouteilles et il s'aimait encore moins que le matin en se rasant.

— Donne-moi un truc très sec pour faire passer le mauvais goût de la famille, mais pas du marc. Un calvados, tiens, dans un verre à dégustation.

Sa voix résonnait étrangement et il comprit pourquoi en remarquant que le café était vide. A cette heure-ci, le dimanche, Victor ne travaillait presque pas et c'était pour son plaisir qu'il faisait marcher la télévision.

— Tu connais un nommé Chevalier ?

— Non.

— Un grand blond, pète-sec, qui a l'air encore plus intelligent que mon frère Marcel. S'il vient te voir et te parle de moi, tu lui diras que je l'emmerde.

— Qui est-ce ?

Il s'arrêta à temps. Il était en train de jouer avec le feu, peut-être parce qu'il commençait à avoir vraiment la frousse.

— Personne, fit-il d'une voix différente. Laisse tomber.

Victor n'insista pas et Lambert expliqua :

— Ne fais pas attention. C'est la famille qui m'a f... en rogne. Tu aimes les réunions de famille, toi ?

— Je ne sais pas, monsieur Lambert. J'ai été élevé par l'Assistance Publique.

— A Paris ?

— D'abord, puis, à douze ans, dans une ferme de la Corrèze.

— Tu étais malheureux ?

— Je ne me le demandais pas.

— Tu recommencerais ?

— Je ne sais pas. Je suppose.

— Eh bien, moi...

Mais ce n'était pas vrai. Il valait mieux se taire. Il allait dire que, lui, refuserait de recommencer sa vie. Cela lui arrivait de le penser, puis, deux jours plus tard, il allait voir le médecin pour un vague malaise dans la poitrine, une simple lourdeur d'estomac.

Au fond, il avait peur de mourir, tout comme il avait peur de ne plus être Joseph Lambert, entrepreneur, quai Colbert.

— Crevant !

— Quoi ?

— Rien. Je me parle tout seul et je me comprends. Bois un verre sur mon compte.

Victor se servit un fond de menthe verte et beaucoup d'eau.

— A votre santé, monsieur Lambert.

— A la tienne... Dis-moi, entre nous, tu as fait de la prison ?

Le barman se tut un moment.

— Drôle de question, murmura-t-il enfin.

— Tu préfères ne pas répondre ?

— Vous sauriez quand même la vérité en interrogeant Benezech.

— Longtemps ?

— Une fois six mois et une fois un an. La seconde fois, ce n'était pas juste. J'ai payé pour les autres.

Lambert avait eu tort aussi de demander ça. Il était ivre, pas assez, toutefois, pour ne pas s'en rendre compte. Pourquoi, lorsqu'il était lancé de la sorte, devenait-il incapable de s'arrêter ?

— Qu'est-ce que je te dois ?

Il valait mieux s'en aller. D'ailleurs, l'atmosphère dominicale du bar le déprimait.

— Salut, Victor !

— Bonsoir, monsieur Lambert.

Il oublia qu'il avait laissé sa voiture sur la place et prit la rue du Vieux-Marché, pensant à la fois à Victor, à l'homme aux chèvres et à son frère. C'était peut-être dangereux, surtout un dimanche, en plein jour, d'aller trouver l'homme de la Grande Côte. Peut-être le soir, dans l'obscurité, quand il serait rentré dans sa cabane ?

Pourquoi, plus simplement, ne pas aller sonner chez Lescure et lui annoncer la mauvaise nouvelle ?

— Tu te souviens de ce que tu nous as raconté hier au *Café Riche*, les centaines de millions que ta compagnie aurait à payer, et tout ? Eh bien, mon pauvre vieux, ça y est ! Le type à la traction-avant, c'est moi, et il y a quelque part une sorte d'idiot de village qui m'a reconnu. Tire ton plan. Cela ne me regarde plus. Je risque peut-être la prison, mais Victor en a fait et ne s'en porte pas plus mal. Vous autres, il s'agit de millions...

Il fit demi-tour car, de penser à la traction-avant, lui rappelait qu'il venait de la laisser place de l'Hôtel-de-Ville, juste en face du *Café Riche*. Ses amis n'y jouaient pas aux cartes le dimanche. Les tables étaient occupées par des familles qui venaient s'asseoir après leur promenade en attendant l'heure du dîner.

Chevalier était là, seul dans le même coin que la veille, près de la caisse, et Lambert fut persuadé qu'il le regardait monter en voiture.

Lui avait-on parlé de lui ? Il ne fréquentait pas, comme son frère, chez le président Bergeret, ne connaissait que de nom ou de vue ceux qu'on y rencontrait. L'agent de la circulation lui faisait signe d'avancer. Il voulait bien obéir. Mais pour aller où ? Pas chez lui, en tout cas. Il en avait assez d'errer seul dans la maison vide, avec cette punaise d'Angèle dans la cuisine.

— Alors, vous vous décidez ?

Il avança, tourna à gauche parce que c'était le

plus facile et, comme la rue conduisait chez Léa, décida de sonner chez elle. Elle non plus ne travaillait pas le dimanche, qui est le jour des familles.

Il poussa le bouton une fois, deux fois, tendant l'oreille, ne percevant aucun bruit à l'intérieur. Alors, il sonna sans discontinuer et finit par entendre des bruits de pas. Une voix demanda :

— Qui est-ce ?

— C'est moi, Lambert.

— Un moment.

C'était la voix de Léa, mais elle était aussi maussade que la sienne. Elle revint après quelques instants, tourna la clef dans la serrure et tira le verrou.

— C'est toi ! murmura-t-elle comme si, un peu plus tôt, elle n'avait pas reconnu son nom.

Et elle le regardait de la même façon que Victor, en fronçant les sourcils. Elle avait compris, elle aussi. Elle se résignait.

— Entre.

— Tu as quelque chose à boire, au moins ?

— Oui. Ne t'en fais pas.

— Tu dormais ?

— Entre !

— Tu es mécontente de me voir ?

— Mais non.

— Avoue que tu es mécontente.

— Non. Je t'en prie, ne reste pas sur le palier. Je ne suis pas encore bien éveillée.

— Problème ! articula-t-il alors comme si ce mot expliquait tout.

— Hein ?

— Je dis : problème. Cela ne te rappelle rien ? Les hommes qui viennent pour rigoler et ceux qui viennent avec leur problème ?

L'appartement était net et seul le lit était défait, avec un roman tombé sur la carpette.

— Quelle est ton intention ? questionna-t-elle.

123

Le dimanche, je ne sors pas et, le matin, j'en profite pour faire mon ménage à fond, le soir pour dormir.

— Peut-être vais-je dormir aussi ?

— Tu parles sérieusement ?

Il commençait déjà à se dévêtir. Pourquoi pas ? Ça ou autre chose ! Ici, il ne serait pas seul et aurait l'avantage de ne pas voir rentrer sa femme avec un visage triste et indulgent. Ce n'était pas de l'indulgence qu'il voulait.

— Seulement, avant, il faut que tu me donnes à boire.

— Je n'ai que du vermouth.

— Apporte le vermouth.

Elle alla chercher la bouteille dans la salle à manger, revint avec un seul verre. La bouteille était aux trois quarts pleine.

— Promets-moi que tu ne feras pas de tapage.

— Je me suis déjà mal conduit chez toi ?

— Pas chez moi, non.

— Tu as peur ?

— J'ai peur de la propriétaire, qui ne raterait pas l'occasion de me mettre à la porte.

C'était curieux : sans maquillage, elle ressemblait à une brave mère de famille et même à une mère de famille de la campagne. Il buvait le vermouth à longs traits et elle le laissait faire, debout, alors qu'en caleçon, avec encore ses chaussettes et ses souliers, il était assis au bord du lit.

— Tu es une bonne fille, déclara-t-il avec conviction.

Ce n'était pas tout à fait ce qu'il avait voulu dire. Il se comprenait. Dans son esprit, c'était un magnifique compliment, quelque chose de très délicat.

Elle ne protestait pas tandis qu'il se versait un second verre, puis un troisième, vidait enfin la bouteille, la regardant toujours avec tendresse et

124

hochant la tête sans qu'il fût possible de savoir ce qu'il voyait réellement.

— Une très bonne fille... Attends !... Voilà le mot : tu es une sœur !

Il était soulagé d'avoir trouvé et les larmes lui en montaient aux yeux, il buvait son reste de vermouth tandis qu'elle s'agenouillait par terre devant lui pour lui retirer ses souliers et ses chaussettes.

Il ne se souvint ni de ça, ni de s'être couché, ni encore, deux heures plus tard, de s'être rendu dans la salle de bains pour vomir en se cognant à tous les murs parce qu'il se croyait quai Colbert et ne reconnaissait pas son chemin.

Il ne se souvint pas non plus de l'avoir appelée Nicole.

7

Il ne dormait pas tout à fait, il n'était pas tout à fait réveillé et il le faisait exprès de se maintenir en équilibre entre la veille et le sommeil. C'était un truc qu'il connaissait bien, qu'il pratiquait souvent, surtout quand il avait bu la veille. Et c'était sans doute la boisson aussi qui rendait sa chair plus sensible, donnait à ses désirs une forme et une acuité particulières.

Il avait commencé à reprendre conscience à la même heure que les autres matins et tout de suite, sans avoir besoin d'ouvrir les yeux, avait su qu'il n'était pas dans son lit et que la cuisse chaude et nue sous sa main était celle de Léa. Il se souvenait. Pas de tout. C'était une impression d'ensemble, avec des détails par-ci par-là. Par exemple, il retrouvait dans sa mémoire l'émotion qu'il avait ressentie la veille en regardant Léa et en pensant à une sœur. Cela ne le faisait pas rire. Il n'en avait pas honte non plus.

Il avait entrouvert les paupières juste assez pour se repérer, apercevoir un rideau crème derrière lequel le jour se levait et il s'était replongé dans sa torpeur, un peu comme il l'avait fait, le jour du mal de dents, sous le tilleul du jardin. Il y avait en lui un refus de revenir à la vie ordinaire et il s'enfonçait presque farouchement dans un univers où ne comptaient plus que les tressaillements de ses sens.

C'était cela, en définitive, qu'Edmonde était capable de faire tout éveillée, en plein jour, n'importe où, dès que se produisait le déclic, et c'était cela aussi qu'avec elle il était parvenu à réussir. Peut-être même, ce déclic, pouvait-elle le provoquer à sa guise ?

L'univers s'éloignait alors jusqu'à n'être plus qu'une sorte de nébuleuse sans importance. Les objets perdaient leur poids, les gens n'étaient plus que des pantins minuscules ou grotesques et tout ce à quoi on attache d'habitude du prix devenait saugrenu. Il ne subsistait, dans un monde rétréci, enveloppant et chaud, bienveillant, que le battement du sang dans les artères, une symphonie d'abord vague, diffuse, qui se précisait peu à peu pour se concentrer enfin dans leur sexe.

Ils n'en rougissaient pas, n'avait pas honte non plus de faire de ce sexe, pour un moment, le noyau de leur existence, ni d'épuiser les possibilités de plaisir.

Il avait hâte de voir Edmonde, de lui adresser le signe, de lire la réponse dans ses yeux et de s'enfoncer avec elle dans cet univers-là.

Il fallait, aujourd'hui, que cela dure très longtemps et qu'il la voie, telle une morte, les narines pincées, la lèvre supérieure retroussée sur ses dents. Sans la laisser revenir à elle, il recommencerait, inventerait de nouvelles caresses qui lui feraient demander grâce. Ils iraient très loin tous les deux, plus loin que jamais, jusqu'à l'extrême bord du précipice, jusqu'à frissonner de peur de n'en pouvoir revenir.

Son désir le rendait sensible des pieds à la tête comme un écorché vif, le contact des draps, même, devenait voluptueux, et pourtant il ne songeait pas à se satisfaire avec Léa que sa main caressait toujours. Il voulait, au contraire, s'exciter encore et, pour cela, s'appliquait à imaginer les plus petits détails de ce qui se passerait tout à l'heure.

Pas dans le bureau, ni dans aucun des locaux du quai Colbert où ils avaient eu de précédentes expériences. La journée s'annonçait chaude, le rideau crème se dorait sous un soleil brillant et, parce qu'il se souvenait du tilleul aux mouches bourdonnantes, il pensait à un pré dans la campagne, ou à une clairière près de laquelle il arrêterait l'auto.

Etait-ce par réaction contre ses peurs de la veille ? Il avait faim d'Edmonde, faim de son sexe et des phases mystérieuses de sa jouissance.

Peu importaient l'homme aux chèvres, Benezech, son frère Marcel et le jeune Chevalier. Il avait encore ça que personne ne pouvait lui prendre.

Ce ne serait pas la première fois qu'il s'arrêterait ainsi en bordure d'une prairie. Et chaque fois, en se relevant, il était comme ivre de l'odeur de la terre humide et de celle d'Edmonde. Un jour, ils avaient entendu du bruit derrière la haie, tout près d'eux, mais, enfonçant les ongles dans sa chair, elle l'avait empêché de bouger et jamais elle n'avait été si délirante.

Il devait aller, le matin, vérifier la prise du ciment chez Renondeau. Est-ce alors qu'il l'emmènerait avec lui, ou plus tard, dans l'après-midi par exemple ?

Il rêvait à moitié, créait le décor, des images qui rendaient son envie douloureuse et, comme il caressait toujours Léa, celle-ci, dans son demi-sommeil, se mit sur le dos, écarta les genoux, murmura d'une voix lointaine :

— Viens.

Il dit non et, pour ne pas succomber, se leva tandis qu'elle le suivait d'un regard surpris, pas assez éveillée encore pour avoir le courage de le questionner. Une fois debout, seulement, il se rendit compte qu'il avait mal à la tête, qu'il était vide, mais cela n'avait pas d'importance, ne l'inquiétait pas, il savait que son malaise ne tarderait pas à se dissiper et qu'il lui resterait son désir.

Il s'habilla à moitié avant de se diriger vers la cuisine où il alluma le réchaud à gaz, chercha le café parmi les boîtes blanches d'une étagère, le trouva, en mit quelques mesures dans le moulin fixé au mur.

Il versait l'eau dans la cafetière lorsque Léa parut sans bruit dans l'encadrement de la porte, nue, avec, sur sa peau fine, des lignes roses qu'avaient laissées les plis du drap.

— Qu'est-ce que tu fais ?
— Du café.
— Quelle heure est-il ?

Il regarda le réveil sur la cheminée.

— Six heures vingt.
— Tu pars déjà ?

Il dit oui et, à mesure qu'elle s'éveillait, elle retrouvait sa façon de le regarder de la veille. On aurait dit qu'elle voyait en lui quelque chose qui l'inquiétait, comme un signe, et qu'elle ne le laissait partir qu'à regret.

— Ta femme ?
— Non.
— Elle ne dit rien ?
— Non.
— Tu as de la chance.

C'était inutile de lui expliquer qu'elle se trompait, qu'au contraire il n'avait pas de chance.

— Tes affaires ?

Ce n'étaient pas ses affaires non plus qui l'obligeaient à partir. Il n'était pas indispensable qu'il se rende à la ferme Renondeau ce matin-là.

— La fille dont tu m'as parlé ?

Il fit oui de la tête. A quoi bon mentir, au point où il en était ?

— C'est pour cela que, tout à l'heure, tu n'as pas voulu ?

Elle ne lui en gardait pas rancune mais elle paraissait s'inquiéter davantage.

— Verse-moi une tasse de café aussi, tiens. Cela ne m'empêchera pas de me rendormir. Tu te souviens que tu as été malade ?

— Non.

— C'est sans importance. Je ne te le reproche pas. Le plus difficile a été de te remettre dans le lit. Tu es drôlement lourd !

— Tu as dû me porter ?

— Te hisser, te tirer, te pousser comme j'ai pu.

— Je te demande pardon.

— Tu es bête !

Elle s'assit sur une chaise blanche et c'était curieux de la voir ainsi, sans vêtement sur le corps, boire le café dans la cuisine.

— Tu prends un bain avant de partir ?

— Je le prendrai chez moi.

— Comme tu voudras. Tu n'as pas besoin d'aspirine ?

— Si.

Elle alla lui en chercher deux comprimés dans la salle de bains et elle en profita pour se laver les dents. Il but deux tasses de café, put allumer une cigarette sans que cela lui soulève le cœur.

— Je vais finir de m'habiller, annonça-t-il.

— Tu te lèves toujours aussi tôt ?

— A six heures. Parfois cinq heures et demie.

Elle le suivit dans la chambre et le regarda faire, avec toujours le même air réfléchi. Puis elle l'accompagna jusqu'à la porte dont elle tira le verrou et l'embrassa sur les deux joues.

— Merci, disait-il en la quittant.

Et elle, après qu'il lui eut rendu ses baisers :

— Fais attention à toi.

Cela ne le frappa pas tout de suite, mais seulement dans la rue où il cherchait sa voiture des yeux. Pourquoi avait-elle dit ça, sur un ton si pénétré, alors qu'elle n'était au courant de rien ?

Il y avait déjà quelques Nord-Africains sur le quai Colbert et une péniche à l'avant peint d'un triangle rouge et blanc passait sur le canal, le marinier, sur le pont, saluait ceux du bateau en déchargement, leur lançait un nom d'écluse qui devait être un rendez-vous.

Il pénétra d'abord dans les bureaux et, au passage, un peu gêné, fit une caresse furtive à la table d'Edmonde. Il ne voulait pas que son désir se dissipe. A la lumière plus crue du jour, les images évoquées dans le lit de Léa perdaient déjà de leur plausibilité, les scènes qu'il avait rêvées, les gestes, les mots à dire devenaient moins réels.

Il l'emmènerait quand même à la campagne, n'importe où, et il jouirait d'elle sauvagement. Il en avait besoin. Il avait surtout besoin de se prouver à lui-même que c'étaient eux qui avaient raison, que c'était leur droit, qu'il n'y avait rien de salissant ou de coupable dans le plaisir qu'ils se donnaient l'un à l'autre.

N'était-ce pas cela, au fond, qui le tourmentait encore plus que la peur et que tout le reste ? On lui avait tout à coup sali les seuls moments de vraie joie qu'il eût jamais connus. Ceux-là et ceux du mal de dents, sous le tilleul. C'était la même chose, la même envolée, le même bond dans un autre monde.

Ce qu'il avait obtenu jadis avec deux comprimés d'une drogue quelconque, avec l'engourdissement, les rayons tamisés du soleil et la chanson des mouches, ils l'obtenaient, Edmonde et lui, avec leurs deux corps.

De quoi étaient-ils donc coupables ? Et, s'ils ne l'étaient pas, pourquoi, depuis qu'il connaissait Edmonde, se sentait-il si souvent en proie à une sourde inquiétude ?

Pourquoi, quand le klaxon avait hurlé à la mort...

Il refusait d'y penser, de s'en souvenir. Il ne voulait à aucun prix revivre les trois jours qu'il venait de vivre. Il gravit les marches trois par trois, ouvrit la porte de la cuisine où Angèle sursauta et le regarda comme un revenant.

— Vous me préparerez une tasse de café.

N'était-il pas, pour elle, le diable en personne ?

— Madame n'est pas éveillée et ne m'a pas laissé d'instructions, grommela-t-elle comme il s'éloignait dans le couloir.

— Cela m'est égal.

Ainsi, il avait le temps de prendre une douche froide et de s'habiller. Il était prêt quand s'entre-bâilla la porte de la chambre et Nicole se contenta de remarquer :

— Tu es là.

Il ne se chercha pas d'excuses, ne donna aucune explication. Ce n'était plus la peine. Il ne parla pas non plus de ce qui s'était passé chez Marcel.

— Tu te sens bien ?

— Très bien.

— Tu veux qu'on serve le petit déjeuner ?

— Je ne pense pas que je mangerai.

Il n'avait pas l'estomac assez solide pour ça. Sur le quai et dans les chantiers, le travail était embrayé. On entendait le ronronnement de la scie mécanique ponctué par la chute des planches. Son mal de tête avait déjà disparu et seuls persistaient un certain vague dans tout son corps ainsi qu'une sensibilité accrue.

Pendant plus d'une demi-heure, il resta debout, parmi les camions et les piles de matériaux, à prendre contact avec les contremaîtres et les ouvriers, puis il alla jusqu'au quai s'assurer que le déchargement serait terminé le lendemain soir. Les planches, samedi encore horizontales, étaient maintenant en pente presque raide car, à mesure qu'il se vidait, le bateau, plus haut sur l'eau, décou-vrait ses flancs grisâtres que le marinier enduisait déjà de goudron de Norvège.

A neuf heures, il était dans son bureau au moment de l'arrivée des employés, vit Edmonde passer sur le quai, en reçut, pour la première fois, une sorte de choc, devint fébrile et le temps lui parut long jusqu'à ce qu'il ouvrît enfin la porte de communication.

— Voulez-vous venir un instant, mademoiselle Pampin ?

— Avec mon bloc ?

— Ce n'est pas la peine.

Avait-elle compris ? Croyait-elle que c'était pour tout de suite ? Il ne souriait pas, n'était pas gai, plutôt sombre, au contraire, avec une angoisse diffuse. La porte refermée, elle restait debout et il se demandait maintenant si, après ce qui s'était passé dans la Grande Côte, elle allait encore accepter et si le déclic se produirait.

Il tournait en rond dans le bureau, reculant le moment de la regarder, et elle ne bougeait pas, toute droite, les mains jointes devant elle.

— Je voulais seulement vous dire...

Il levait enfin les yeux vers elle, avait l'impression qu'elle effaçait un sourire furtif.

— Je vous demanderai probablement de m'accompagner aujourd'hui...

— Ce matin ?

Il l'épiait. Il était sûr qu'elle avait déjà reconnu son regard. Ce qu'il aurait voulu savoir, c'est si le choc se produirait.

— Ce matin ou cet après-midi, je ne sais pas encore.

Il ajouta, la voix moins naturelle :

— Nous irons assez loin.

— Bien, monsieur Lambert.

Il dut détourner les yeux, parce qu'il la regardait avec une expression presque suppliante et qu'il ne voulait pas devenir pathétique.

— Vous avez compris ?

— Oui, monsieur.

Il l'observa une fois encore.

— Contente ?

Elle se borna à battre des paupières et il fut à peu près sûr qu'elle était devenue plus pâle, ce qui était le signe.

— A tout à l'heure.

Il venait de rentrer dans les rails. Il était heureux, tout à coup, et il éprouva le besoin de gagner le bureau de Marcel, surpris que son frère ne fût pas encore venu le trouver. Trois dessinateurs étaient penchés sur leur planche et Marcel travaillait en bras de chemise.

Lambert prononça du bout des lèvres :

— Je m'excuse d'être parti, hier après-midi, sans faire mes adieux.

— Cela valait mieux ainsi et il aurait encore mieux valu que tu ne viennes pas du tout.

C'était la première fois qu'il employait ce ton-là, sec, méprisant, et Lambert eut le sang à la tête, serra les poings, hésita à marcher sur son frère et à le saisir aux épaules pour le secouer.

Il se contint et, sa colère passant presque instantanément, se contenta de grommeler, assez haut pour que les employés l'entendent :

— Petit morveux !

Il n'avait de leçons à recevoir de personne, surtout de son frère. Il alla trouver M. Bicard qui, le lundi matin, avait toujours besoin de lui pour des signatures, rentra dans son bureau avec l'idée de le quitter tout de suite pour se rendre à la ferme Renondeau. En ce qui concernait Edmonde, il valait mieux attendre l'après-midi et aller du côté des bois d'Orville.

C'est à ce moment-là, comme il allait prendre son chapeau au portemanteau, qu'un brouhaha se produisit sur le quai et, tournant la tête, il vit un des Nord-Africains se débattre entre les mains de deux de ses compagnons, se dégager, courir à toutes jambes vers la ruelle que Nicole avait prise, la veille, pour revenir de la messe, et que dans la maison on appelait le raccourci.

Une silhouette était étendue par terre parmi des briques répandues et il n'en vit d'abord que les longues jambes, ouvrit la fenêtre pour crier :

— Qu'est-ce que c'est ?

Oscar, sur le quai, lui fit signe de venir. Quand l'homme s'était échappé, il y avait eu des cris, des phrases prononcées en arabe, mais maintenant un silence absolu régnait, on aurait dit que chaque homme s'était immobilisé dans la pose où quelque signal l'avait surpris.

Des bureaux aussi, on avait entendu, et Lambert se trouva traverser la chaussée en même temps que son frère, qui alla se pencher sur l'homme couché sur le sol. Sa chemise était tachée de sang. Les yeux ouverts sur le ciel, il ne laissait échapper aucune plainte.

— Que s'est-il passé, Oscar ?

— Cela s'est fait si vite que je n'ai presque rien vu. Ils étaient sur les planches, l'un derrière l'autre, chacun avec son chargement, et celui qui marchait devant parlait à mi-voix. Cela m'a frappé. Ils n'avaient pas l'air de se disputer. On aurait plutôt dit que le premier récitait une prière. D'une seconde à l'autre, la scène a changé et je n'ai pas eu le temps de faire un pas en avant. Celui qui marchait derrière a balancé son chargement de briques sur le quai et, tirant un couteau de dessous sa chemise, s'est précipité vers son camarade et le lui a planté dans le dos.

Marcel, toujours agenouillé près du blessé, donnait des ordres à un des employés qui l'avait suivi et d'autres s'en venaient, hésitants, des bureaux où les dactylos étaient aux fenêtres.

— C'est à peu près tout. Deux des hommes ont saisi l'assaillant tandis que tous les autres se mettaient à parler en même temps dans leur sabir. Je crois qu'ils leur ordonnaient de le lâcher. S'ils ont essayé de le retenir, ils n'y ont pas mis beaucoup d'énergie et, maintenant, pour le retrouver...

— Qui est-ce ?

— Un Mohammed quelque chose. J'ai son nom sur la liste.

L'employé revenait avec une trousse de secours dont on avait souvent besoin dans les chantiers. Marcel était à son affaire, calme, méticuleux, donnant de brèves instructions à son aide à la façon d'un chirurgien.

— Grave ?

— Je ne crois pas.

L'Arabe les regardait aussi tranquillement que si ce n'était pas de lui qu'il s'agissait et ses compagnons formaient toujours un cercle silencieux.

Lambert questionna :

— Quelqu'un a téléphoné à la police ?

Marcel répondit :

— J'ai fait prévenir Benezech.

Une sirène annonçait déjà l'auto du commissaire en chef qui s'approcha et serra la main de Lambert en murmurant :

— Bagarre ?

— On ne sait pas. Ils étaient occupés à décharger les briques quand l'homme qui était derrière celui-ci s'est précipité pour le frapper de son couteau.

— Un Arabe aussi ?

— Oui.

— Ils l'ont laissé fuir ?

— Deux d'entre eux ont essayé de le retenir, mais...

— Parbleu !

Benezech se tourna vers Oscar.

— Tu as les noms et les adresses ?

— Je les ai là-bas au chantier.

— Va me chercher la feuille.

Le policier, debout, contemplait l'homme étendu sur le gravier.

— Je suppose que tu n'as rien à dire ?

Le visage du Nord-Africain ne bougeait pas et seuls ses yeux se fixaient, sans expression, sur le commissaire.

— Tu ne sais rien, n'est-ce pas ? Ni pourquoi on t'a frappé, ni...

Il haussa les épaules, se tourna vers un inspecteur.

— Fais venir une ambulance. Qu'on l'emmène à l'hôpital.

Après quoi il se tint à l'écart en compagnie d'Oscar qui avait apporté la feuille d'embauche. Edmonde était à une fenêtre aussi, dans sa robe noire qui faisait paraître sa peau plus blanche, mais ce n'était pas vers le groupe du quai qu'elle était tournée et, en suivant la direction de son regard, Lambert aperçut l'homme aux chèvres, seul près d'un arbre, à une vingtaine de mètres de lui.

Des voitures s'étaient arrêtées, quelques curieux avaient eu le temps de s'approcher, de sorte que Lambert ne l'avait pas vu.

Il n'était plus endimanché comme la veille, mais portait ses vêtements de tous les jours. Long et maigre, le dos appuyé au tronc de l'arbre, il retirait une à une les feuilles d'une petite branche qu'il avait ramassée par terre.

Il ne s'intéressait pas au blessé, mais à Lambert, et celui-ci croyait lire de la jubilation dans ses yeux gris pâle.

Maintenant qu'il était revenu, il devenait impossible de croire encore à un hasard et, à cause de la présence de Benezech, la menace se faisait plus précise que jamais. Le commissaire lui tournait le dos, conversant toujours avec Oscar, prenant des notes dans son carnet, mais un moment vint où il se retourna, celui où on entendit l'ambulance arriver.

Alors, Lambert en fut certain, le regard du commissaire, qui ne s'accrochait nulle part, passa sur la silhouette inattendue de l'homme aux chèvres, y revint l'instant d'après, aigu, cette fois, et s'y arrêta un certain temps.

Ce fut plus subtil que ça, plus rapide. Lambert n'en saisit pas moins au vol la surprise de Benezech qui connaissait l'homme et ne s'attendait pas à le trouver quai Colbert.

C'était déjà fini. Le policier parlait aux infirmiers qui avaient apporté une civière. Marcel, redressé, les mettait au courant des soins qu'il venait de donner, tandis qu'Oscar s'efforçait de rassembler ses hommes pour les mettre au travail.

Les visages avaient disparu des fenêtres. L'homme aux chèvres, lentement, avec des mouvements d'animal, comme pour ne pas attirer l'attention, s'éloignait en se maintenant dans la perspective des arbres, mais Lambert eut encore le temps de recevoir un de ses regards avant qu'il disparaisse.

Les portes se refermaient sur l'ambulance qui s'éloignait. Marcel, Benezech et un inspecteur formaient un groupe dans le soleil, devant une des pyramides de briques roses, et on apercevait la petite fille de la péniche qui était restée tout le temps sur le pont de la péniche à regarder.

— On finira par le retrouver, disait Benezech. Tôt ou tard, nous leur mettons la main dessus. Mais on aura beau faire, on ne saura rien et ce sera le diable d'obtenir de ses camarades un témoignage contre lui. Le blessé lui-même se taira.

Etait-ce une illusion ou bien regardait-il maintenant Lambert un peu à la façon dont il avait regardé tout à l'heure l'homme aux chèvres, comme si une idée venait de le frapper ?

— Qui, d'entre vous, l'a vu faire ?

— Oscar.

— Et vous, Lambert ?

— Je me suis précipité à la fenêtre dès que j'ai

entendu du bruit, mais le blessé était déjà à terre et l'autre s'est dégagé aussitôt pour se mettre à courir.

— Vous ?

C'était au tour de Marcel.

— J'en ai vu encore moins : un homme qui courait, un homme sur le sol et les autres qui regardaient.

L'homme aux chèvres, comme le fuyard, avait dû emprunter la venelle bordée d'un côté par des murs de jardins, de l'autre par une palissade, qui débouchait rue des Capucins. C'était un des endroits les plus calmes, les plus déserts de la ville, avec le feuillage des arbres qui débordait des murs du couvent et seulement une petite porte que personne ne franchissait jamais.

— Je suis obligé de convoquer tous ces gaillards-là pour les interroger. Vous en avez besoin longtemps ?

— Demain soir, le déchargement devrait être terminé.

— Je les ferai donc venir mercredi matin.

Il tendit la main, à Marcel d'abord, à Lambert ensuite.

— Bridge, ce soir ?

— Probablement.

Le regarda-t-il autrement que d'habitude, avec une interrogation et comme de l'étonnement dans les yeux ?

Lambert traversait à nouveau la chaussée et, dans le grand bureau, passait près d'Edmonde qui classait du courrier. Une fois seul, il faillit l'appeler, saisi par l'angoisse. Ce dont il avait peur, à présent, ce n'était plus de la menace encore imprécise qui pesait sur lui, mais de se voir refuser la joie qu'il s'était promise le matin.

Il avait, dans sa torpeur voluptueuse, contre le corps chaud et doux de Léa, combiné la scène dans ses moindres détails et il y en avait même d'impossibles, il avait dû renoncer, au grand jour, à certains de ses rêves.

Rien ne l'empêchait de l'appeler tout de suite, de fermer la porte, ou encore de la faire monter dans sa voiture et de l'emmener n'importe où.

Qu'est-ce qui le retenait d'agir ainsi ? Il n'en savait rien. Il lui semblait qu'il n'était pas mûr. Il voulait, aujourd'hui, que ce soit si extraordinaire qu'il en avait le trac et qu'il remettait à plus tard. D'ailleurs, un peu plus tôt, ne lui avait-il pas donné à entendre que ce serait pour l'après-midi ?

Il tenait à couver son désir, à le rendre si lancinant, si douloureux, qu'en l'assouvissant enfin il s'arracherait à la terre.

La sonnerie du téléphone résonna comme il se disposait à sortir. C'était Nicole.

— Il y a eu une bagarre ? questionna-t-elle, d'en haut, où elle devait être occupée à ranger.

— Un coup de couteau.

— Mort ?

— Non. Marcel croit que la blessure n'est pas grave.

— Tu sors ?

— Je vais à la ferme Renondeau.

— Fais attention.

Cela le frappa. C'était la seconde fois, ce jour-là, qu'on lui donnait une sorte d'avertissement, comme s'il avait porté au front un signe fatidique. Léa, toute nue dans l'entrebâillement de la porte, avait prononcé, rêveuse :

— *Fais attention à toi.*

Sa femme disait seulement :

— *Fais attention.*

C'était plus vague. Cela pouvait signifier de faire attention à la façon dont il conduisait l'auto. Elle savait qu'il avait bu la veille, considérait sans doute qu'il n'était pas tout à fait maître de lui.

— A tout à l'heure, répondit-il.

Et l'instant plus tard, en traversant le grand

bureau, il regardait Edmonde avec tant d'intensité que son visage devait être dramatique.

Ils ne se dirent rien. Il lui sembla qu'elle était encore plus fermée que d'habitude, mais fut certain qu'il y avait une promesse dans ses yeux.

Ils n'étaient gais ni l'un ni l'autre. Ils n'étaient jamais gais. N'avait-ils pas, à présent, l'air de deux maudits ? Pourtant Lambert était persuadé de leur innocence, c'est cela qu'il aurait voulu leur crier à tous sans espoir de se faire entendre.

Par Benezech moins que par n'importe qui, après ce que Léa lui avait confié, Benezech qui tremblait de désir devant la fille et qui, lorsqu'elle s'offrait, résistait farouchement et se consolait par une pauvre plaisanterie.

— *Peut-être quand, dans quelques années, je prendrai ma retraite...*

Léa l'avait admiré ! Léa l'aimait bien, le respectait.

A Lambert, elle avait dit, sans rien savoir :

— *Fais attention à toi.*

Il descendait l'escalier de la cour, qui n'avait que six marches, quand il entendit derrière lui la voix de Marcel.

— Un instant, Joseph !

Il l'attendit et son frère le rejoignit, la lèvre frémissante.

— Juste un mot. Je te prierai, quand tu seras revenu à ton état normal, de me faire des excuses devant mes employés, car il y a des limites. C'est tout.

Il riposta du tac au tac :

— C'est non.

Ils se mesurèrent du regard, Marcel une marche plus haut que son frère, puis se tournèrent le dos sans en dire davantage.

Il ne ferait d'excuses ni à Marcel ni à personne, parce qu'il n'en devait pas, parce qu'il n'était coupable de rien, quoi qu'il eût pu penser un moment.

Il en était sûr et s'en persuadait davantage à chaque minute.

C'était si vrai qu'il lui était indifférent de prendre la route du Château-Roisin et même, un peu avant l'épicerie-buvette des Despujols, de dépasser l'homme aux chèvres qui marchait à grands pas réguliers. Ses chèvres, plus haut sur la Grande Côte, bêlaient après lui dans un pré minuscule entouré de barbelés, ne comprenant rien à son absence.

Renondeau était occupé à rentrer le regain.

— Vous les avez rencontrés ? questionna-t-il en s'épongeant de sa manche et en tendant une main dure.

— Qui ?

— Les gendarmes. Pas les nôtres, ceux de Marpou. Ils ont dû aller frapper, plus loin, à la porte du père Jouanneau. C'est au moins la troisième fois qu'on me pose les mêmes questions et ils en font autant dans chaque ferme, d'abord les gendarmes d'ici, qui sont des copains, puis les hommes de la police, maintenant les gendarmes de Marpou : qu'est-ce que vous faisiez mercredi entre cinq et six heures, où vous teniez-vous, pouviez-vous voir passer les autos sur la route, avez-vous remarqué une traction-avant ?

— Qu'est-ce que vous avez répondu ?

— La vérité, parbleu.

Renondeau leur avait-il appris que Lambert avait quitté sa ferme pour se diriger vers la Grande Côte une vingtaine de minutes avant l'accident et qu'il avait une femme à son bord ?

Il n'osa pas le lui demander.

— Alors, ce béton, questionnait le fermier. On va voir ?

Ils rejoignirent le contremaître et, avant de partir, Lambert fut invité au traditionnel coup de blanc dans le chai.

— Vous êtes un sacré veinard, vous, monsieur Lambert.

— Pourquoi ?

— D'abord, parce que vous gagnez de l'argent gros comme vous sans avoir besoin de mettre la main à la pâte. Ensuite, parce que vous circulez tout le temps dans le pays et que vous avez toutes les occasions. Je donnerais cher, pour ma part, pour dire deux mots à la demoiselle de l'autre jour...

C'était curieux qu'il eût cette opinion d'Edmonde car, au bureau, par exemple, les hommes étaient loin de l'apprécier. Le fermier n'avait-il eu qu'à la regarder pour comprendre ?

— A votre santé et à la sienne !

— A la vôtre, Renondeau.

— Et, entre nous, quand vous viendrez encore dans le pré d'en bas, ne vous gênez pas !

Il clignait de l'œil. Lambert ne s'était pas rendu compte, un jour de juin qu'il s'était arrêté avec Edmonde derrière une haie, qu'ils se trouvaient sur les terres de Renondeau. Ce n'était pas la fois où ils avaient entendu du bruit mais, il l'apprenait maintenant, le paysan n'en était pas moins à l'affût.

— Il n'y a pas d'offense, dites ?

— Mais non.

C'était le fermier qui devenait rouge et soupirait :

— Une fameuse femelle !

Lambert, en remontant dans sa voiture, regretta de ne pas l'avoir emmenée. Il n'y avait pas, aujourd'hui, de charrette sur la route, personne en vue, et il eut un regard trouble vers l'endroit où, la dernière fois, elle avait franchi le fossé d'un bond.

Il était trop tard pour aller la chercher. Dans quelques minutes, la sirène du chantier se ferait entendre et elle s'en irait avec les autres pour déjeuner.

Après, lorsqu'il aurait réalisé son rêve éveillé, il était décidé à lui poser des questions.

Répondrait-elle ? Se rendait-elle compte du point où ils en étaient arrivés tous les deux ? Ils n'étaient pas des amants comme les autres, ils n'étaient pas des amants, ils étaient, ils avaient toujours été, deux complices.

Ce qu'il voulait savoir, et il faudrait bien qu'elle le lui dise, c'est si elle se sentait coupable. Il était sûr que non. Si elle s'était sentie coupable, elle n'aurait pas été ce qu'elle était. Mais c'était de sa bouche qu'il avait besoin de l'entendre. Il ferait n'importe quoi pour cela, il lui ferait mal jusqu'à ce qu'elle parle.

Parce qu'il s'était contenté, lui, de la suivre, de découvrir en elle ce qu'il avait cherché à tâtons toute sa vie.

Les autres ne comptaient pas. Il n'avait eu avec elles, même avec Léa, que des gestes obscènes qui ne laissaient aucune trace.

La révélation qu'il avait eue de leur faculté de fuite...

On lui faisait signe de s'arrêter, deux gendarmes debout près d'une petite auto noire, et un des deux, touchant son képi, s'approchait de la portière.

— Vous êtes du pays ?

Cela devait être ceux de Marpou, car il ne les connaissait pas et eux ne le connaissaient pas non plus.

— Joseph Lambert, disait-il, l'entrepreneur du quai Colbert.

Il leur tendait sa carte grise, son permis de conduire et le gendarme prenait des notes dans son calepin.

— Je ne roulais pourtant pas trop vite ?

— Non. Nous arrêtons toutes les tractions-avant, selon les instructions qu'on nous a données. Vous avez des affaires par là ?

— Un chantier à la ferme Renondeau.

— Vous y allez souvent ?

— Presque chaque jour en ce moment pour jeter un coup d'œil aux travaux.

— Vous êtes venu mercredi après-midi ?

— Oui.

— Vers quelle heure ?

— J'ai dû arriver aux environs de quatre heures et demie et repartir vers cinq heures. Je n'ai pas consulté ma montre.

— Vous êtes passé par la Grande Côte ?

Il hésita, la bouche sèche.

— Oui.

— Avant l'accident ?

— Je suppose que oui, puisque je n'ai rien vu.

— Vous êtes rentré directement en ville ?

— Je suis passé par la laiterie de Tréfoux, où j'ai un autre chantier.

C'était déjà fini. Le gendarme lui rendait ses papiers et touchait à nouveau son képi.

— Vous êtes le dixième ce matin, dit-il comme pour le consoler.

Lambert lui rendit son salut. Le brave gendarme ne se rendait compte de rien, mais ces renseignements-là aboutiraient bien quelque part, à un moment ou à un autre, peut-être sur le bureau de Benezech, où ils seraient confrontés avec d'autres.

— *Fais attention à toi*, lui avait conseillé Léa.

— *Fais attention*, lui avait recommandé Nicole au téléphone.

Edmonde, elle, s'était contentée de le regarder au fond des yeux d'un regard qui n'avait de sens que pour eux.

L'homme aux chèvres commençait, de son même pas allongé, à gravir la Grande Côte et le reconnut, leurs regards se croisèrent, celui de l'homme exprimait toujours une joie diabolique.

8

Sa seule peur, au début, fut qu'ils viennent le chercher avant le retour d'Edmonde car, pour le reste, il n'espérait plus ; au fond, dès le premier jour, il avait su que sa vie ne redeviendrait jamais comme avant, que l'accident du Château-Roisin l'avait coupée en deux et, s'il s'était débattu, c'est parce que sa nature le poussait à lutter contre le sort et les hommes.

Ce n'était plus désormais qu'une question d'heures ou de minutes et seul comptait pour lui le rendez-vous qu'il s'était donné à lui-même autant et presque plus qu'à Edmonde.

Le reste avait perdu son importance et, en déjeunant en tête à tête avec Nicole, il regardait l'appartement autour de lui comme un décor étranger, sa femme comme n'importe quel être qui n'aurait rien eu de commun avec lui. Les années qu'ils avaient passées ensemble n'avaient laissé aucune trace. Il ne subsistait rien entre eux, pas même cette familiarité qui se crée, à la caserne, par exemple, entre hommes qui ont partagé la même chambrée.

On aurait dit qu'elle le savait, qu'un instinct l'avertissait, elle qui croyait si peu à l'instinct, et elle parlait d'une voix plus neutre, feutrée, avec un certain moelleux dans le regard, comme on parle à un malade ou à quelqu'un qui s'en va pour toujours.

Il n'était pas ému, seulement inquiet, et ce n'était pas à Nicole qu'il pensait mais à Edmonde, aux minutes qui le séparaient de son retour.

L'autre peur lui vint plus tard, quand il descendit et déambula dans les bureaux d'abord, puis dans les chantiers et les magasins où le travail avait repris, et cette peur-là était encore moins raisonnée que la première.

Si Edmonde allait ne pas venir ? Si elle allait avoir un empêchement ? Si quelqu'un, pour une raison imprévisible, la retenait ailleurs ? Cela n'était jamais arrivé. Elle était ponctuelle et, en plus d'un an, ne s'était jamais absentée pour raison de maladie. Il semblait chercher des motifs de se torturer et, chaque fois qu'il regardait l'heure à sa montre-bracelet, son impatience croissait, à deux heures moins dix, déjà, il se tenait sur le trottoir près de la voiture.

Marcel fut le premier à descendre d'auto et, sans rien dire, à regarder son frère en fronçant les sourcils.

C'était égal à Lambert, maintenant, ce qu'on pouvait penser de lui, surtout Marcel. Il n'avait plus le temps de se préoccuper des autres. Il avait quelque chose à faire et c'était devenu une idée fixe, dépouillée de tout ce qu'il y avait mis le matin dans son demi-sommeil.

Même si cela ne devait être qu'une sorte de symbole, il était indispensable que cela soit. Le reste passait au second plan, s'effaçait, et il regardait défiler ses employés comme des inconnus.

Quand elle tourna le coin de la rue de la Ferme, avec sa robe noire et son chapeau blanc, il ouvrit la portière, beaucoup trop tôt, resta là immobile, sans doute grotesque, à l'attendre en lui faisant signe de ne pas entrer au bureau mais de le rejoindre.

Déroutée, elle obéissait, s'installait à l'avant de l'auto, son sac à main, blanc comme le chapeau, sur ses genoux.

Il se retint de soupirer :

— Enfin !

Et, sans la regarder, comme on emporte une proie, il mit brutalement le moteur en marche, embraya, fit un départ si bruyant que deux ou trois visages se montrèrent aux fenêtres.

— J'ai eu peur, ne put-il s'empêcher d'avouer.

— De quoi ?

L'heure du respect humain était passée.

— Que vous ne veniez pas.

Il ne la regardait toujours pas et ne vit pas sa réaction. Elle ne dit rien. Etait-elle surprise ? Le comprenait-elle ? Ou bien avait-il créé dans son esprit une Edmonde qui n'existait pas dans la réalité ?

Est-ce que, comme le jeune maçon l'avait dit crûment, elle était seulement un *bestiau* ?

Il roulait vite, prenait les virages à la corde et, une fois hors de la ville, s'assura, dans son rétroviseur, qu'aucune voiture n'était sur sa trace.

Il avait gagné ! Il en était fier, heureux, comme s'il venait de remporter une victoire capitale. Sur la grand-route, il poussa le moteur à fond, pour se détendre, et de temps en temps il donnait un coup de klaxon qui ressemblait à un cri de triomphe. Il traversait des villages, de vastes étendues de prés plats et Edmonde gardait toujours l'immobilité, les yeux fixés droit devant elle. Il ne pouvait pas encore savoir si elle était à l'unisson, ni si elle se rendait compte qu'aujourd'hui cela devait être dix fois, cent fois plus extraordinaire que par le passé.

A un carrefour, il fonça vers la gauche, et les bois d'Orville, où il possédait une action de chasse et où il venait de temps en temps, n'étaient plus loin, tout de suite après une ancienne maison de garde transformée en auberge que fréquentaient les chasseurs. A moins d'un kilomètre, un chemin s'enfonçait dans la futaie et c'est là que, laissant sa voiture sur le bas-côté, il se proposait d'entraîner Edmonde...

— Qu'est-ce qu'il y a ?

Il venait, rageur, de pousser un juron à la vue de deux hommes porteurs de fusils, suivis de leurs chiens, qui sortaient du restaurant. Il les connaissait tous les deux. L'un était Weisberg, l'autre Jean Rupert, le confiseur de la rue Saint-Martin. Il n'avait pas pensé qu'on était lundi, que la plupart des magasins de la ville étaient fermés et que c'était le jour de liberté des commerçants. Weisberg, qui l'avait reconnu, levait la main pour le saluer.

Cela devenait impossible de s'engager dans le chemin auquel il avait pensé et que les deux chasseurs allaient atteindre à leur tour. C'était le bois d'Orville entier qui leur était interdit, car il devait y en avoir d'autres en quête de gibier.

Ses sourcils s'étaient froncés, ses yeux étaient devenus durs et, au croisement suivant, il prit le chemin creux qui dévalait la colline. On l'obligeait à changer ses plans, à improviser. Au bas du chemin quelques arbres entouraient un étang, l'étang Notre-Dame, trop peu envasé pour la pêche et dont la rive était d'habitude déserte.

Edmonde se laissait conduire, lui lançant parfois un coup d'œil intrigué. Elle devait sentir sa tension, décuplée par les obstacles. Elle n'était pas inquiète mais surprise.

L'air menaçant, il arrêta la voiture au bord du chemin, dans la boue, fit claquer la portière après avoir prononcé durement :

— Descends.

Ils n'avaient qu'une centaine de mètres à parcourir le long d'un sentier pour arriver au bord de l'eau mais ils n'allèrent pas jusqu'au bout car les cris d'enfants parvinrent jusqu'à eux et ils aperçurent une demi-douzaine de gamins des environs qui se baignaient tout nus dans l'étang.

Il lui fut reconnaissant de ne pas sourire, d'attendre sa décision sans le regarder en face, et l'excès même de sa déception lui rendit son calme.

— Viens ! Je te demande pardon.

Les autres endroits qu'il connaissait n'étaient pas dans cette direction-ci mais de l'autre côté de la ville, le long du canal ou vers la ferme Renondeau. Il ne voulait pas courir le risque de se montrer dans les rues et tout ce qu'il restait à faire était de chercher, au petit bonheur, un coin désert.

Il se raccrochait à son désir et, en montant dans la voiture, il alluma fébrilement une cigarette en murmurant :

— C'est idiot !

Il mesurait le ridicule de la situation mais était incapable d'en rire, c'était au contraire, pour lui, la menace d'un effondrement, d'une fin grotesque. Cela lui remit en mémoire le rire silencieux de l'homme aux chèvres et il regretta de n'être pas allé, la veille au soir, en finir avec lui comme l'envie l'en avait effleuré.

Il évitait de regarder Edmonde, craignant de découvrir que c'était une dactylo quelconque qui était assise à côté de lui et qui souhaitait se retrouver le plus vite possible dans le cadre paisible et rassurant du bureau.

Ce n'était pas vrai ! Il se rappelait des détails inexprimables, qui feraient sans doute hausser les épaules à n'importe qui mais qu'il prenait au sérieux, comme la fois que, couchée sur le dos, elle fixait le tronc robuste d'un chêne d'un œil fasciné. A cause des réactions qu'elle venait d'avoir, il avait compris cette fascination-là. Pour elle, l'arbre puissant était un autre principe de vie, comme l'organe mâle qu'elle caressait et, devant la blessure d'un pin d'où coulait la sève, elle pensait naturellement à la sève de l'homme ; dans son esprit, tout se confondait, tout ce qui se gonfle de vie, tout ce qui se reproduit, tout ce qui, obscurément, tend vers une naturelle plénitude.

Il s'était arrêté une fois de plus au bord de la route, restait assis devant son volant, les yeux vides, et elle le regarda avec surprise.

Il se contenta de jeter sa cigarette à demi consumée par la portière.

— Allons ! soupira-t-il.

Il venait de vaciller. Sa foi n'était plus aussi ferme. Il doutait. Il avait failli, tout à coup, faire demi-tour et rentrer en ville sans tenter l'expérience. Il roulait lentement, presque détendu, comme si à présent cela avait moins d'importance, épiant les chemins qui s'amorçaient, à la recherche d'un coin solitaire comme les amoureux bébêtes du dimanche.

Deux ou trois fois, il crut avoir trouvé, mais il y avait un sort contre lui, chaque fois il apercevait au dernier moment un paysan dans son champ, une vieille qui gardait ses vaches, ou encore, à proximité, une maison qu'il n'avait pas vue tout d'abord.

Il ne savait plus où il était, car il s'était éloigné des grand-routes et avait tourné en rond. Il finit, sans espoir, par suivre un chemin défoncé qui aboutissait à un cul-de-sac. Deux barrières ouvraient sur des prés où paissaient des vaches blanches et noires. Le long des haies de ronces, l'herbe était grasse, d'un vert sombre, le terrain humide, ombragé par trois grands ormes.

Comprenant que c'était là, elle descendit en même temps que lui et, pour la première fois, ils étaient aussi gênés l'un que l'autre.

Il aurait voulu parler, avant. Tout à l'heure, quand il l'attendait sur le trottoir du quai Colbert, il s'était promis de s'expliquer et avait même préparé des phrases. Comme ses rêves du matin, elles ne correspondaient déjà plus à la réalité, elles étaient devenues imprononçables, elles auraient sonné faux.

S'approchant de la seconde barrière, il s'assura qu'il y avait des vaches dans les deux prés et, tout au bout de celui de droite, au-dessus de la ligne de l'horizon, distingua le toit rouge d'une ferme.

La voix rauque, il prononça :

— Couche-toi.

Elle marqua une hésitation, s'assit dans l'herbe, à trois mètres de l'auto boueuse.

— Couche-toi ! répéta-t-il en s'agenouillant près d'elle.

Il le fallait. Il se l'était promis. C'était une épreuve qu'il se devait à lui-même de tenter.

— Relève ta robe.

Il fixait le visage d'Edmonde tourné vers le ciel. Il voulait que ce soit comme les autres fois, mieux que les autres fois, et soudain, d'un geste brutal, il lui découvrit le ventre sur lequel il se jeta furieusement.

Elle n'avait pas tressailli. Elle n'avait pas peur. Seulement ses prunelles, toujours braquées sur le ciel, étaient devenues plus fixes et sa bouche avait eu un frémissement de douleur.

— Tu comprends ? grondait-il, sans se soucier de ce qu'il disait puisque ses pensées n'avaient aucun rapport avec des mots possibles.

Il s'acharnait, presque féroce, épiant son visage avec cruauté.

— Tu as compris, dis ? Il faut que tu comprennes, vois-tu. Il faut que je sache...

Trois fois, il espéra. Trois fois, il crut qu'il allait triompher, car les narines se pinçaient et la lèvre supérieure commençait à se retrousser dans une expression qui le hantait, qu'il voulait retrouver coûte que coûte parce que c'était le signe.

Il était indispensable que ce soit encore possible, car cela prouverait qu'il avait raison, que c'était dans la Grande Côte, quand l'autobus avait hurlé, qu'il s'était trompé.

— Tu comprends, dis ? Tu comprends ?

Alors, à l'instant où il touchait au but, voilà que les traits se brouillaient et qu'une goutte salée suintait de la paupière, une seule, cependant qu'Edmonde laissait retomber ses bras mous et gémissait à voix basse :

— Je ne peux pas. Pardon...

Debout d'une détente, il évita de la regarder pendant qu'elle se relevait à son tour et arrangeait sa robe. Il l'entendit marcher vers la voiture où elle resta debout devant la portière, tête basse, à l'attendre.

Quand il s'approcha enfin de l'auto, il était redevenu lui-même en apparence, mais il avait les traits tirés, le regard vide.

— Vous m'en voulez ? murmura-t-elle.

Il fit non de la tête, s'assit sur le siège et tourna la clef de contact.

Elle dut le croire, penser que cela n'avait pas d'importance, car elle avait repris son expression sereine du bureau.

Ils n'avaient rien à se dire. Faute de pouvoir tourner la voiture, il sortit du chemin en marche arrière et, après deux tournants, il retrouvait la grand-route dont il ne se savait pas si proche.

Ce qu'elle ne soupçonnerait probablement jamais, c'est qu'un peu plus tôt, alors qu'elle regardait les nuages blancs dans le ciel, il avait résisté au désir de la détruire.

C'était passé. Il était si calme, à présent, qu'elle en était surprise et lui jetait parfois un coup d'œil à la dérobée. Il semblait sourire. Peut-être souriait-il réellement. La grimace de l'homme aux chèvres, aussi, était un sourire. Cela n'avait plus d'importance. Rien n'avait plus d'importance. S'il s'était trompé, cela ne regardait que lui et cela ne signifiait pas qu'il avait tout à fait tort.

Est-ce que, lorsqu'elle avait eu une larme d'impuissance, elle pensait au car qui hurlait d'effroi derrière eux, aux visages encore joyeux des enfants qui allaient brûler ?

Il y avait pensé aussi.

Et après ? Cela prouvait-il qu'ils étaient coupables ? Est-ce qu'elle s'était sentie coupable, elle, et est-ce qu'elle avait eu honte ?

Encore une fois, cela n'avait pas d'importance. C'était Mlle Pampin qui était assise à côté de lui et il n'avait rien de commun avec Mlle Pampin, en dehors de la dictée du courrier et des affaires du bureau. Pas de lettres aujourd'hui. Il n'avait pas besoin non plus de l'emmener sur l'un ou l'autre chantier.

Il était presque gêné par sa présence qu'il avait tant attendue et elle lui était devenue encore plus étrangère que Nicole, l'image d'elle et de sa mère marchant bras dessus bras dessous place de l'Hôtel-de-Ville lui revint à l'esprit et lui parut grotesque.

Il souriait vraiment et ce n'était pas elle qui aurait été capable d'interpréter ce sourire-là. Peut-être l'homme aux chèvres ?

A mesure qu'ils approchaient de la ville le décor devenait plus familier, il regardait sans les voir des villages, un château, un pont sur une rivière qu'il avait contemplés des milliers de fois.

Il n'avait plus aucune raison de se presser et il n'avait pas besoin non plus, comme en descendant la Grande Côte, de rouler au ralenti.

Quel signe les deux femmes, Nicole et Léa, avaient-elles vu sur son visage ? Cela l'intriguait. Il était persuadé que quelque chose lui échappait.

— *Fais attention à toi*, avait dit Léa qui, si gentiment, l'instant d'avant, lui avait ouvert ses cuisses et qu'il avait dédaignée.

— *Fais attention*, avait recommandé sa femme au téléphone.

Il franchissait le pont du canal où, enfant, il avait pris son premier poisson, avec une baguette, un bout de ficelle et une épingle recourbée. En face, on lisait sur le mur blanc :

« *Les Fils de J. Lambert.* »

Les Nord-Africains continuaient à monter sur la péniche le long des planches élastiques et à en descendre en file indienne, chargés de briques.

Il arrêta l'auto au bord du trottoir, alla ouvrir la portière à Edmonde qui, sans l'attendre, se dirigea vers l'entrée des bureaux.

La dernière chose qu'il regarda sur le quai fut le nœud rose dans les cheveux de la petite fille de la péniche.

Il gravit les cinq marches à son tour, poussa la porte et une des employées qui servait de téléphoniste, Mlle Berthe, courte et boulotte, avec une fossette au menton, lui annonça :

— M. Benezech a téléphoné. Il demande que vous le rappeliez dès votre retour.

Il répondit distraitement :

— Je sais.

— Je vous demande la communication ?

— Tout à l'heure.

Edmonde était déjà assise devant sa table vernie et retirait crayons et gommes du tiroir. Marcel, à travers la cloison vitrée du bureau des dessinateurs, le suivait des yeux.

Il se retourna pour voir M. Bicard dans sa cage, avec la boîte jaune de cachou à côté du grand livre.

Il poussa la porte de son bureau, hésita, la referma derrière lui. Les fenêtres étaient ouvertes et l'odeur de résine arrivait jusqu'à lui de la péniche, il y avait, à cause des briques qu'on maniait depuis trois jours, de la poussière rose dans le soleil.

Il s'assit à sa place, calmement, et c'est à son frère Fernand, qu'il connaissait si peu, qu'il pensa en ouvrant le sous-main pour y prendre une feuille de papier.

Il ne devait pas s'attarder, car n'importe qui pouvait surgir et il n'avait pas voulu mettre le verrou.

Avec le gros crayon bleu qui lui servait à annoter les dossiers, il écrivit en caractères d'imprimerie :

« *Je ne suis pas coupable.* »

Laissant la feuille sur le buvard, il ouvrit le tiroir de droite et saisit le revolver d'ordonnance qu'il avait rapporté de la guerre. Ne sachant plus s'il était chargé, il dut s'en assurer.

Il s'accorda encore un instant pour regarder par la fenêtre et ce qu'il cherchait des yeux c'était le ruban rose dans les cheveux de la gamine. Il ne la vit pas. Sans doute était-elle rentrée dans la cabine pour goûter, car il était quatre heures.

Il jeta un coup d'œil au plafond, se demandant si sa femme était là-haut. Puis, très vite, il eut la vision de ce qui se passerait dans quelques instants, les allées et venues, l'affolement, les coups de téléphone, l'arrêt brusque du travail dans les bureaux et sur les chantiers.

Il pensa aussi à l'enterrement, au groupe de la famille, y compris le petit M. Motard et son gendre, à celui du personnel, puis des amis, de ceux du *Café Riche*, de la société de chasse, aux fournisseurs, aux clients, à la foule anonyme.

Il pensa à Léa enfin, mais se refusa à penser à Edmonde.

Une première fois, il leva le canon du revolver vers sa bouche, sachant que c'est dans la bouche qu'il faut tirer, de bas en haut, mais il interrompit son geste et posa l'arme sur le bureau, le regard fixé sur la feuille de papier.

Il saisit encore une fois le crayon bleu, hésita, pensif, à biffer d'une croix ce qu'il avait écrit ou à corriger son texte. Enfin, se ravisant encore, il froissa le papier dans sa main et le jeta dans la corbeille.

A quoi bon ? Etait-ce à lui de décider ?

Il eut l'impression que des pas approchaient, qu'on allait frapper à la porte et, fermant les yeux, il se dépêcha de tirer.

La Gatounière, Mougins (Alpes-Maritimes),
13 septembre 1955.

Composition réalisée par JOUVE

IMPRIMÉ EN FRANCE PAR BRODARD ET TAUPIN
La Flèche (Sarthe)
LIBRAIRIE GÉNÉRALE FRANÇAISE - 43, quai de Grenelle - 75015 Paris.
ISBN : 2 - 253 - 14227 - 1